RHANNU AMBARÉL

Rhannu Ambarél

Yn straeon byrion ein bod
Ni all neb ein llawn nabod

Sonia Edwards

Enillydd Y Fedal Ryddiaith
Eisteddfod Genedlaethol Ynys Môn 2017

bwthyn
GWASG Y BWTHYN

Cyhoeddwyd yn 2017 gan Wasg y Bwthyn
Caernarfon, Gwynedd LL55 1ER
gwasgybwthyn@btconnect.com
01286 672018

ISBN 978-1-912173-00-6

Dymuna'r cyhoeddwyr gydnabod cymorth
Cyngor Llyfrau Cymru

Argraffwyd a rhwymwyd yng Nghymru
ar ran Llys Eisteddfod Genedlaethol Cymru
gan Wasg y Bwthyn, Caernarfon, Gwynedd

I'r un o dan yr ambarél

~

Hoffwn ddiolch i Marred o Wasg y Bwthyn
am ei chefnogaeth a'i chyfeillgarwch bob amser.

CYNNWYS

Mefusen

Roedd hi wedi colli'i thad yn ddiweddar. Yn sydyn. Annisgwyl. Damwain car. A'r sioc yn ei rhwygo hithau. Fel cyllell o nunlle'n hollti'r croen. Dim poen. Nid yn syth. Dim ond parlys oer a'r synhwyrau'n fferru. Fel cael eich trywanu gan ddieithryn mewn stryd gefn. Daeth y boen wedyn, ias ar ben ias a dim ffordd o'i leddfu.

Ei geiriau hi. Yn y straeon, y darnau creadigol. Ymarferion llif yr ymennydd. Roedd ganddi frawddegau oedd yn ei gyffwrdd fel anadl ar groen, cymalau fel glöynnod byw. Deffrôdd hi rywbeth ynddo wrth iddo ddarllen ei gwaith. Miniogodd ei synhwyrau. Ffroenai ei geiriau fel llwynog ar drywydd gwaed.

Hon oedd y fyfyrwraig orau i Iwan Gwyn ei dysgu erioed. Y gwir oedd nad oedd o'n dysgu dim iddi. Roedd o'n gallu'i harwain at drysorau llenyddiaeth, ei hannog i ddarllen yn ehangach, i ymestyn, arbrofi. Gallai feithrin ei dawn. Ei phorthi fel llenwi pig cyw deryn. Ond doedd dim byd arall y gallai ef ei roi iddi. Heblaw Chekhov a Hemingway. Kate a D. J. Fe'i harweiniodd hi atyn nhw. Dangos eu deheurwydd iddi, eu meistrolaeth ar ddiffyg trugaredd pob gair.

Ond fedrai o ddim pwyntio at yr un ohonyn nhw a dweud: dos, a gwna dithau yr un modd; efelycha'r mawrion nes cyrhaeddi dithau'r byd lle clywodd Capote sŵn sodlau merch ar lawr caled fel darnau o rew yn clecian mewn gwydryn. Fedrai o ddim gwneud hynny am nad oedd ganddo'r hawl. Na'r grym. Byddai fel ceisio caethiwo cwmwl. Roedd ei dawn yn rhywbeth byw, llwglyd, yn ffrwtian fel tonnau gwres uwch eu pennau ym mhob tiwtorial.

Morfudd. *Galwch fi'n Mo.* Doedd hi ddim yn hoff o'i henw'n llawn.

'Cariad y bardd,' meddai yntau'r diwrnod cyntaf hwnnw. Bod yn smala. Bod yn fo'i hun. Hyderus. Y bantar. Teimlo'n dwat pan atebodd hi'n llyfn, llyfnder yn ymylu ar artaith fel gwich clwt o bapur newydd ar wydr:

'Dwi'm yn gariad i neb.'

Nid 'cym-on' oedd o. Roedd hi'n gosod ffiniau. Gwnaeth hynny hefo'i llygaid. Ei ddadsefydlogi. Fo oedd yr athro ond hi oedd yn rheoli, yn adnabod ei grym drosto, fel ci peryglus o ddeallus yn adnabod ei nerth ei hun. Yn adnabod ei gallu. Ysgrifennodd ddarnau a'u gosod o'i flaen gan wybod y byddai o'n rhyfeddu. Chwynnodd yntau ambell wall iaith, egluro rheolau gramadeg er mwyn cadw'r llaw uchaf. Awgrymodd newidiadau i frawddegau, paragraffau. Derbyniodd hithau ei feirniadaeth ond roedd min ar y derbyn, rhyw delerau anweledig, anodd eu diffinio. Newidiai ambell gymal, hepgor ambell ansoddair, rhyw nòd o ran parch i gyfeiriad ei ffordd o o feddwl: anifail gwyllt yn dewis ufuddhau. Roedd ei chyfaddawdu heriol yn ei dynnu'n nes ati. Ei geiriau ar bapur yn ei swyno. Meddyliai amdani'n amlach ac yn amlach, ar adegau pan ddylai fod yn meddwl am bethau eraill. Ar ganol darlith crwydrai'i feddwl at y tro yn ei gwefus, y bwlch bach rhwng ei dannedd blaen. At galedwch crwn ei bronnau o dan feddalwch ei dillad. Wrth ddreifio adra ar ôl diwrnod o waith tybiai iddo'i gweld ar ymyl pob palmant. Hi oedd pob merch mewn côt werdd a theits du. Rhythmau ei geiriau hi oedd yn ei ymennydd, pob sill a chymal a sŵn, yn ei ben, yn ei gar, ar y windsgrin, yn bownsio'n ôl a blaen rhwng y weipars hefo'r dafnau glaw.

Taith felly oedd hon. Hanner dydd ar ddydd Gwener a phob darlith drosodd. Dim byd tan bnawn Llun. Penwythnos cyfan heb ei gweld. Penwythnos a dipyn. Doedd ganddo ddim tiwtorial hefo dosbarth Mo tan dri ar y dydd Llun canlynol. Roedd o fel hogyn ysgol wedi'i daro â chlwy cariad cyntaf. Rhannai'r penwythnos yn ddyddiau a'r 'tipyn' dros ben yn oriau. Oriau a munudau. Byddai unrhyw ddyn priod canol oed oedd yn cael gorffen ei waith am hanner dydd ar ddydd Gwener a ddim yn gorfod dechrau yn ei ôl tan bnawn Llun yn gorfoleddu rŵan hyn. Fel y buasai yntau dair wythnos yn ôl, tair wythnos a deimlai bellach fel tro byd. Dair wythnos yn ôl, tair wythnos a thridiau i fod yn fanwl gywir, fo oedd y dyn gorfoleddus hwnnw. Yn stopio yn Tesco ar ei ffordd adra i nôl dwy botel o goch. Yn hanner edrych ymlaen hyd yn oed at dwtio'r ardd fore trannoeth. Haul oer, ias hydrefol, dail crin yn gwreichioni o dan ei welingtons o. Hunters. Côt Barbour. Edrych y part. Doedd clydwch cyfforddus y canol oed ddim heb ei fanteision. Panad wedyn. Dolce Gusto. Cyn trwsio'r

11

clo ar ddrws y sied. Pnawn o ffwtbol tra byddai'i wraig yn siopio at ginio'r Sul. Dewis oddi ar eu bwydlen *Chinese* yn gynnar gyda'r nos er mwyn iddo fo gael picio'n reit handi i'r Orchid Garden a dod yn ei ôl i dywallt y gwin a fu'n anadlu'n ufudd ar lechen yr aelwyd ers cyn iddo fynd allan.

Dair wythnos yn ôl roedd Iwan Gwyn yn fodlon ei fyd. Heddiw roedd ganddo deimladau cymysg ynglŷn â'r dedwyddwch hwnnw. Cawsai ei fygu ganddo. Gwelai hynny erbyn hyn. Roedd y rhigol honno mor bell i ffwrdd bellach. Mor bell i ffwrdd fel y bu bron iddo allu'i argyhoeddi'i hun mai rhigol rhywun arall oedd hi. Bywyd rhywun arall. Cyfforddus. Tawel. Saff. Wyddai o ddim a ddylai o hiraethu rhywfaint am y bywyd hwnnw, a'r cnonyn ym mhwll ei stumog yn neidio ac yn cyrlio, yn pigo hyd yn oed, yn brathu a thynhau a thrydanu holl eithafion ei fod. Morfudd. Mo. Doedd ei feddwl ddim yn gysurus heb fod yna ran ohoni hi ynddo o hyd. Roedd hi yno yn ei ben ochr yn ochr â phopeth arall. Meddyliodd am bethau eraill. Wrth gwrs iddo feddwl am bethau eraill. Marcio'i draethodau. Paratoi'i ddarlithoedd. Llenwi'i gar hefo petrol. Talu'r bil nwy. Rhoi'r gath allan. Ffonio rhyw ben rŵd di-ddallt yn y lle Cyllid a Thollau oherwydd fod ei god treth wedi newid heb reswm. Roedd o'n gwneud hyn i gyd, yn meddwl am hyn i gyd, ac yn dal i wneud lle iddi hithau. Neu roedd ei ymennydd yn gwneud hynny drosto. Doedd ganddo ddim dewis yn y peth. Powndiai'r cros trenar a dyrnu'r tredmil hefo Coldplay yn galarnadu yn ei glustiau. Rhedodd. Chwysodd. Stwffiodd synau i'w ben drwy glustffonau. Ac roedd hithau yno hefyd, yn ei aflonyddu, yn meddiannu'r cuddfannau yn ei benglog: ysbryd mewn bŵts beicar a'i gwallt Pocahontas yn blethen wedi'i chyrlio'n gocyn ar ei gwegil fel neidr yn cysgu.

Awr ginio ym mis Tachwedd a'r glaw'n troi'r strydoedd yn fonocrôm niwlog, un ambarél yn goch fel cusan rhwng y du a'r gwyn. Doedd o ddim isio mynd adra. Doedd o ddim isio'r gwin coch na'r *Chinese* na'r cinio Sul. Doedd o ddim isio gwneud dim heblaw meddwl amdani hi. Na, nid meddwl. Roedd arno'i hisio hi. Mo hirwallt, beryglus, bengaled. Mo ansicr o dan yr hyder i gyd, a'i chalon ynghudd o dan haenau'r sgarff amddiffynnol o liwgar honno a gordeddai am ei gwddw bob amser. Dychmygai bersawr y sgarff, breuddwydiai am gladdu'i wyneb yn ei phatrymau meddal a'r cudynnau o arian yn ddryswch drwyddi.

Y sgarff welodd o gyntaf. Ochenaid hir o liw drwy'r mwrllwch. Cyn clywed canu corn piwis gyrrwr y car tu ôl iddo am ei fod o'n aros yn stond o flaen golau gwyrdd fel dyn o'i go'. Hi oedd hi'r tro hwn. Y bŵts. Y teits. Y gôt werdd. Fyddai o ddim yn cofio oddi ar y diwrnod hwnnw ymhle y trodd ar ôl y goleuadau traffig hynny. Fyddai o ddim yn cofio dilyn lôn gefn i faes parcio diarffordd na sylweddolai ei fod o'n gwybod am ei fodolaeth o'r blaen. Fyddai o ddim hyd yn oed yn cofio gwneud y penderfyniad lloerig hwnnw i fynd i chwilio amdani. Ond byddai'n cofio rhuthro fel ffŵl i lawr y llwybr cul rhwng y tai teras cochion er mwyn ffugio'r cyfarfyddiad damweiniol hwnnw a fyddai'n newid ei fywyd. Byddai'n cofio'i syndod hithau, yn codi'n wrid lle cychwynnai croen gwyn ei gwddw o blygion y sgarff ac yn lledu fel angar dros ei bochau. Yn cofio'i geiriau:

'Mi ddylech chi fod hanner ffordd adra erbyn hyn.'

Golygai hynny ei bod hithau wedi bod yn meddwl amdano yntau. Ei bod hi'n ymwybodol o'i amserlen, ei oriau gwaith. Ei ddydd Gwener. Rhoddodd hynny hyder iddo. Hynny a'i gwrid sydyn. Safodd y ddau ar y palmant llwyd yn syllu ar ei gilydd. Eiliadau hirion yn amseru'r cam nesaf a'r ceir a'r byd a'r diferion olaf o ansicrwydd yn rhubanu heibio iddynt ar y lôn wydrog.

'Doedd arna i ddim cymaint o frys heddiw.' Er fy mod i ar drothwy penwythnos ac i fod ar bigau'r drain i'w gluo'i o'ma fel unrhyw un call.

Yr hyn na ddywedodd o.

'I fyny fan hyn dwi'n byw.' A hynny'n swnio fel 'Tyrd i'r gwely'. Ei llygaid hi'n llwythog o ystyr. Beiddgar fel ei sgwennu hi. Yn arteithio'r dychymyg fel paragraff clo.

Roedd y genod roedd hi'n rhannu tŷ hefo nhw wedi mynd adra dros fwrw'r Sul, meddai hi. Sylwodd hi ar ei syndod wrth edrych ar daclusrwydd yr ystafell fyw, y paent tywyll o gwmpas y lle tân, y drych Fictoraidd uwch ei ben a'r goleuadau o'i gwmpas. Canwyll-brennau gemog, canhwyllau oren, carped pinc a thiwlips ffresh mewn fasys hir, cul – roedd y cyfan i gyd yn sbloet o liw, lliwiau nad oeddent i fod i gydweddu, ond roedd popeth yn rhyfeddol o gytûn fel blodau mewn gardd drofannol. A phopeth mor wahanol i adra, i stafell fyw Cerys hefo'r soffa wen, y carpedi lliw hufen, a thynerwch clasurol chwaethus y lliw-dim-byd. Lliwiau caredig, ymlaciol, drud. Lliwiau ei fywyd o.

'Genod sy'n byw yma, dach chi'n gweld.' Ei llais, ei llygaid. Chwerthinog. Pryfoclyd. 'Dyna pam ei bod hi'n lân yma. Mae genod yn llnau. Nid fel y bechgyn yn y tŷ drws nesa. Hofal!'

Lle roedd baner draig sglyfaethus yn y ffenest ffrynt yn cyhoeddi'r mochyndra i'r byd. Roedd o wedi sylwi. Wedi cofio gyda phang o rywbeth tebyg i hiraeth am ei ddyddiau coleg yntau pan oedd angerdd yn bwysicach na dysgu sut i ddefnyddio peiriant golchi.

'Mae hi mor lliwgar yma. Trawiadol ond . . .'

'Cartrefol?' Meddiannodd ei frawddeg wrth gynnig y gair olaf.

'Cartrefol a rhywbeth arall. Wn i ddim be' ydi'r gair.'

'Rhywiol? Cartrefol ond rhywiol ar yr un pryd? Efallai mai dyna'r disgrifiad gorau?' Gwyddai fod ei rhethreg fyrlymus yn cael effaith arno a bron fel pe bai hi'n cywilyddio am dynnu arno mor ddidrugaredd mor fuan, trodd y sgwrs i gyfeiriad ymarferol:

'Nia, un o'r merched eraill, sy'n gyfrifol am y lliwiau mentrus. Celf ydi'i phwnc hi'n amlwg. Mae hi'n defnyddio'r parlwr ffrynt i arbrofi.'

Parlwr. Hen ffasiwn. Hen air am hen ystafell mewn hen dŷ. Ystafell a'i hegni'n gwrthbrofi pob un o ystyron y gair 'parlwr' y gwyddai amdanynt.

'Mae fy stafell i'n dawelach o'r hanner.'

Lluchiodd hynny dros ei hysgwydd o'r gegin lle'r oedd hi wedi mynd i roi'r teciall i ferwi. Lluchio'r gwahoddiad. Trio ymddangos yn ddi-hid rhag ofn iddo'i gwrthod. Wrth ei gwylio hi'n symud rhwng lliwiau'r parlwr a chysgodion oriog y gegin fel gwyfyn rhwng tywyllwch a goleuni, sylweddolodd pa mor fregus oedd hi. Pa mor hawdd ei niweidio. Ei gwrthod rŵan fyddai'r peth callaf i'w wneud. Y peth iawn. Y peth caredicaf. Iddi hi. Iddo fo. I'w wraig. Ond doedd yna ddim byd yn garedig yn unigrwydd y gegin fach nac yn sŵn y sarff o deciall yn chwythu'n biwis. Doedd yna ddim caredigrwydd yn yr hanner gwyll oedd yn diferu dros y ffenest fel cadach budr. Dim trugaredd yn y chwennych. Y chwant. Yn yr hen angen mewn dyn am ferch nad oedd hi'n wraig iddo. Doedd hon ddim yn sefyllfa garedig.

Roedd hi'n sefyll a'i chefn ato. Yn estyn cwpanau'n araf oddi ar eu bachau. Yn disgwyl am ei gyffyrddiad. Gafaelodd yn dyner yn llen ei gwallt a'i symud er mwyn cusanu'r croen llyfn ar ei gwddw a theimlo'r trydan yn pigo drwyddi, yn ei gyffwrdd yntau. Estynnodd ei ddwylo o'i chwmpas a mwytho llyfnder caled ei bra, y caledwch tu mewn iddo. Sefyllfa angharedig. Ni allai gofio'r tro diwethaf iddo gyffwrdd fel hyn yn ei wraig.

'Tyrd,' meddai wrtho. Ei chyfle i droi 'chi' yn 'ti' cyn cyrraedd y gwely. Ffast-tracio'r agosrwydd, ei orfodi'n dyner fel magu cyw bach o dan lamp.

Roedd waliau'r stafell wely'n syndod o wyn. Yr hyn a feddiannai'r llofft oedd y cwilt melynwyrdd llachar a'i batrwm adar paradwys yn rhoi dau dro am un i bob ceiliog ffesant llyfn ei fynwes a feiddiodd fwrw trem drahaus erioed. Fel pe bai hi wedi darllen ei feddwl, rhedodd ei bysedd yn ysgafn dros sglein y defnydd a dweud yn smala:

'Pob goludog liw a fu.'

'Oedd gin ffesant Wilias Parry blu siocing pinc hefyd, oedd?'

Chwarddodd Mo wedyn, ac er bod ei hymateb i'w ffraethineb hogyn ysgol ciami dwtsh yn rhy frwdfrydig, llaciodd y tyndra rhyngddynt.

'Ffiwsia maen nhw'n ei alw fo rŵan, nid siocing pinc.'

Dyna pryd ffrwydrodd ei fywyd saff yn gant a mil o wreichion yr un lliw â'r cwilt. Roedd caru hefo Mo wedi rhyddhau'i synhwyrau unwaith eto. Wrth ddarganfod ei chorff roedd o'n darganfod rhywbeth ynddo fo'i hun, rhyw dynerwch na wyddai fod modd ei ailgynnau. Disgwyliai i'r euogrwydd lifo drosto ond wnaeth o ddim. Gorweddai hi wrth ei ochr yn dilyn llinellau'i gorff gyda phennau'i bysedd, yn mentro, archwilio, ei hyder yn newydd ar ôl y rhyw. Roedd croen ei fol yn welw a bachgennaidd. Cusanodd y llyfnder o dan ei fogail a'r man geni a oedd yn is na hwnnw, mefusen fach goch bron ynghudd lle'r oedd gwynder y croen yn darfod. Gadawodd i ben ei bys oedi drosti'n ogleisiol.

'Mae hi ben ucha'n isa,' meddai hi. Bachodd yntau ar yr amwysedd gwirion a oedd yn ei gynnig ei hun iddo. Ateb yn smala am fod troi pob ansicrwydd yn jôc yn rhywbeth roedd o wedi'i wneud erioed. Creu amddiffynfa o'i gwmpas hyd yn oed pan nad oedd angen. Fel mynd â chôt law ar dywydd sych jyst rhag ofn:

'Arglwydd, ydi hi?' medda fo. Saib am effaith. 'Mi oedd hi'n wynebu'r ffordd iawn gynnau neu mi fasat ti wedi cwyno.'

'Dy fan geni di'r lob! Mefusen ben ucha'n isa.'

'Dibynnu o ba gyfeiriad wyt ti'n sbio,' meddai yntau.

Cusanodd hi wedyn, dyn ar ei gythlwng, yn farus, ailflasu, ailfeddiannu. Ymgollodd ynddi. Doedd yna neb yn bod, dim ond y hi. Y nhw. Mor agos nes bod eu heneidiau nhw'n gymysg hefyd. Gwres eu caru'n eu clymu nhw'n nes; eu hanadl, fel y cynfasau, yn gynnes a llaith. Ynys oedden nhw, ill dau, yn un yn eu hangen a'r ystafell o'u cwmpas yn oeri.

'Mi anghofion ni am y te.'

Ac mi gododd hi, clymu gwnwisg amdani, diflannu. Mesurodd yntau wichiadau coed y grisiau dan bwysau'i thraed noeth a theimlo oerni'r llofft yn cau amdano fel cyhuddiad. Dychwelodd gyda thri chwarter potel o win gwyn rhad a dau wydryn.

'Dwi'n dreifio,' meddai wrthi ond derbyniodd lasiad ganddi serch hynny. Potel wedi'i hagor eisoes, blas y ffrwyth gyda thro yn ei gynffon, gwin ar fin egru. Yn y ddwyawr y bu yno roedd golau'r dydd tu allan wedi darfod gan staenio'r ystafell â chysgodion. Roedd hi fel pe bai o'n syllu ar bopeth o dan gantal het. Ar y bwrdd bach wrth y gwely roedd y negeseuon ar ei ffôn yn wincio'n filain arno. Sylwodd Mo arnyn nhw hefyd.

'Mae yna rywun yn pendroni lle'r wyt ti.'

Roedden nhw ill dau'n gwybod heb edrych pwy fyddai'r 'rhywun'. Cribiniodd trwy'r holl esgusodion yn ei ben am yr un y tybiai oedd y mwyaf credadwy cyn rhaffu tecst yn ôl.

'Cerys,' meddai. Euog. Ymddiheurol. Chwithig.

'Be' mae hi'n neud?'

'Be'?'

'Dy wraig di. Be' ydi'i gwaith hi?'

'Athrawes Gymraeg. Wel, dyna oedd hi. Tan leni.' Doedd o ddim isio trafod ei wraig hefo Mo. Ond hi oedd wedi holi. Yn dal i holi.

'Be' ddigwyddodd?'

'Dim byd. Ymddeol yn gynnar wnaeth hi. Isio amser iddi hi'i hun. I sgwennu mwy. Rhwng ciniawa a beirniadu steddfoda.' Gwenodd yn gam i geisio tyneru'r min yn ei lais.

'Mae hi'n sgwennu?'

'Ambell i beth.' Doedd o ddim isio ymhelaethu, llusgo mwy o'i fywyd ei hun i'r sgwrs nag oedd raid.

'O mai god!' meddai Mo.

'Be'?'

'Dy wraig di. Cerys?'

'Be' amdani?'

'Cerys Gwyn ydi hi, 'de? Yr awdur?'

Teimlai'r fatres oddi tano, y gwely, yr ystafell i gyd, yn gogwyddo rhyw fymryn cyn unioni drachefn fel cwch yn osgoi ton. Nid y gwin oedd achos hynny. Doedd o ddim wedi yfed digon ohono. Estynnodd am ei ddillad, dechrau gwisgo, ei gyflyru'i hun i gredu'r celwydd yn ei ben er mwyn cael gwared â'i euog-rwydd cyn cyrraedd adra. Byddai'n hwyr ond nid yn rhy hwyr. Pnawn oedd hi o hyd a'r tywyllwch yn dal yn rhy bell i allu'i gyffwrdd, fel rhywbeth gwenwynig wedi'i gau mewn jar. *Adra cyn iddi dwllu.* Byrdwn y dewisodd ei ailadrodd yn ei ben. Mantra. Rhyw ô sî dî meddyliol. *Os gyrhaedda i adra cyn iddi dwllu mi fydd popeth yn iawn.* Neu'n rhyw ychydig bach gwell. Neu ddim mor ddiawledig o anfaddeuol o dwyllodrus â phe bai hi'n gefn trymedd nos a fynta fel lleidr a'i wynt o'n fyr yn trio peidio tagu ar ei boer ei hun.

Roedd y tŷ'n wag pan gyrhaeddodd adra. Ei ymateb greddfol oedd rhyddhad. Câi gyfle i agor papur newydd a'i adael ar ei hanner, i ferwi'r teciall a rhoi'r radio ymlaen. Creu'r argraff ei fod o'n ôl ers meitin. Tynnu'i sgidia. Ymlacio. Ond pan drodd y munudau'n hanner awr arall, yn awr, daeth rhyw lun ar anesmwythyd i ddisodli'r rhyddhad cyntaf hwnnw. Ar bnawn Gwener arferol byddai Cerys yma. Doedd o ddim yn cofio iddi sôn am unrhyw newid yn ei threfniadau. Roedd y cyfan yn gwrth-ddweud ei thecst gynnau'n holi a oedd o ar ei ffordd. Yna gwelodd y nodyn wedi'i sodro'n frysiog ar ddrws y ffrij hefo'r magned potel win di-chwaeth hwnnw: *Luned wedi torri i lawr tu allan i Gaer!! Mynd â hi adra. Bwyd yn y ffrij os ti'n llwgu.*

Luned, ei swnan o chwaer-yng-nghyfraith. Nid ei hoff berson yn y byd, a doedd hithau ddim yn berwi o frwdfrydedd chwaeryddol tuag ato yntau chwaith. Ond os nad Luned oedd hi, roedd yna rywun yn rhywle, rhyw angel gwarcheidiol anfeirniadol, yn edrych ar ei ôl o felly. Wel, am heddiw o leiaf. Doedd yna neb yno bellach yn disgwyl amdano ac yn amseru'i gerddediad i'r eiliad. Anwybyddodd yr ham oer a'r samon ac agor potel o wyn. Seland Newydd. Dibynadwy. Grawnwin yn blasu o ellyg a haul. Ond yn ei feddwl roedd o'n dal i flasu oriogrwydd y gwin a roddasai Mo iddo, ogla'r goedwig, afalau surion. Ogla rhyw ar y gwely.

Doedd Mo ddim wedi ymddwyn yn wahanol nac wedi dangos unrhyw chwithdod tuag ato'r pnawn

Llun canlynol. Dechreuodd yntau ymlacio rhyw ychydig. Penderfynasai eisoes dros fwrw'r Sul mai camgymeriad byrbwyll oedd cysgu hefo hi. Fyddai hyn ddim yn digwydd eto. Roedd ganddo ormod i'w golli. Wyddai o ddim y buasai'r euogrwydd yn gymaint o gysgod iddo. Roedd adegau pan dybiasai i Cerys allu'i arogli arno a'i bod yn medru darllen ei feddyliau mwyaf cudd a chywilyddus am eu bod nhw wedi dechrau ymddangos mewn swigod cartŵn uwch ei ben.

Gorffennodd y sesiwn. Doedd o ddim wedi gallu canolbwyntio. Teimlai fel pe bai'i ymennydd o'n llawn pys slwj. Byddai'n rhaid iddo ddweud wrthi. Heddiw. Rŵan. Rŵan hyn. Doedd o ddim yn fastad o ran natur a byddai'i brifo hi'n loes iddo yntau. Meddyliodd am golli'i dŷ a hanner ei bensiwn ac ymwrolodd. Crysh lloerig gafodd o. Mopio'i ben. Gwendid y gwirion canol oed.

'Mo . . .?'

'Dwyt ti ddim 'run fath hefo fi.' Roedd ei hwyneb yn welw heb golur. Ieuengach. Mwy gwyryfol.

'Dwi'n briod, Mo.' Fel pe bai o'n datgelu cyfrinach fawr a gynigiai'r ateb i bopeth.

'A dim ond rŵan ti'n meddwl am hynny?'

Yn y coridor tu allan roedd lleisiau'n codi a gostwng, traed yn nesu, pellhau. Y byd yn pasio heibio'r drws am bedwar yn y pnawn a'r gwres yn yr ystafell yn annaturiol, uffernol o uchel a hithau cyn hwyred yn y dydd.

'Rhaid i ni feddwl am bobol eraill.' Clasic. Llinell y llo gwlyb. Gwyddai'i fod o'n haeddu'i dirmyg hi pan atebodd hi:

'Chdi dy hun, ti'n feddwl. Chdi a hi. Snobs y lle 'ma. Pobol steddfod a chrach dy gymdeithasau llenyddol di.'

'Nid dy frifo di oedd fy mwriad i.'

'A be' dwi i fod i'w ddweud rŵan felly? Nad oes dim isio i ti boeni wir? Bod bob dim yn iawn a 'mod i'n dallt, ia?' Lluchiodd weddill ei geiriau i'r distawrwydd oedd yn trymhau rhyngddyn nhw. 'Yr unig beth dwi'n ei ddallt ydi dy fod ti'n fy lluchio i o'r neilltu fel rhyw hen ddilledyn unwaith rwyt ti wedi fy nghael i.'

Hyd yn oed yn ei dicter fedrai hi ddim dal rhag ildio ambell gyffelybiaeth. Pe na bai'r sefyllfa mor greulon byddai Iwan Gwyn wedi teimlo fel gwenu. Ond fel roedd pethau, roedd ei stumog o'n sâl a'i berfedd o'n troi'n ddŵr. Yn enwedig pan roddodd hi ei gwaith ar ben y pentwr oedd eisoes ar y bwrdd o'i flaen ac ychwanegu:

'Jyst paid â meddwl y medri di wneud i mi ddiflannu drwy glecian dy fysedd. Dwi'm yn gweld pam mai fi ydi'r unig un sy'n gorfod diodda.'

Gadawodd ogla'i phersawr ar ei hôl. Dridiau'n ôl roedd o wedi claddu'i ben yn ysgafnder y persawr hwnnw a meddwi. Heddiw roedd y chwa betalog, bowdrog yn codi cyfog arno. A phan ddarllenodd o'i gwaith hi'r noson honno, roedd y persawr ar hwnnw hefyd, yn sicli, awgrymog, yn mynd â fo'n ôl o dan gwilt yr adar trofannol. Marciodd y papurau i gyd gan roi'i hun hi ar y gwaelod bob tro. Osgoi edrych ar ei geiriau nes oedd gwirioneddol raid. Osgoi ei dawn fel pe bai honno hefyd yn wenwyn. Cafodd ei siomi. Doedd y sglein ddim yno. Y swyn. Doedd yna ddim byd ond gorsgwennu llafurus a oedd yn ei atgoffa o un o hoff ymadroddion un o'i diwtoriaid ei hun ers talwm wrth feirniadu ymdrechion tebyg: mae pydru trwy rywbeth fel hyn fel gwylio ci'n trio cachu asgwrn. Chwalodd y dadrith drosto. Bu bron iddo'i foddi. Wyddai o ddim sut oedd o i fod i deimlo. Copïodd y sylwadau a roddodd eisoes ar waelod gwaith un o'r lleill a'u rhwygo o dan ei gwaith hithau: rhywbeth gwrthrychol, anogol-feirniadol. Llugoer. Stwffio'r cyfan i'w fag yn barod i'w dychwelyd y tro nesaf ac yfed yn drymach nag arfer er ei bod hi'n noson waith.

Doedd hi ddim yno yn ei diwtorial drannoeth a doedd hynny'n ddim syndod iddo. Ond pan aeth y dyddiau'n wythnos ac yna'n bythefnos, dechreuodd holi a darganfod ei bod hi wedi newid ei chwrs. Roedd ei ryddhad o glywed hynny mor real a chadarn a di-droi'n-ôl fel y teimlodd y gallasai fod wedi tynnu llun ohono. Ymlaciodd. Hawliodd ei fywyd yn ôl. Dechreuodd orfoleddu unwaith yn rhagor fod ei benwythnos yn cychwyn am hanner dydd ar ddydd Gwener. Galwai am ei win. Darllenai, hefo iasau o gydymdeimlad, yr erthyglau yn *Men's Health* am y creisus canol oed a'r mêl menopôs. Sylweddolodd, nid cyn pryd, nad oedd pris ar ddedwyddwch wedi'r cyfan. Aeth y misoedd heibio ac roedd popeth yn iawn. Crinodd yr euogrwydd a darfod, fel papur mewn fflam. Mid-leiff creisus. Roedd gan bawb hawl i un mistêc. Neu felly y llwyddodd i'w argyhoeddi'i hun.

Tan iddo gyrraedd adra un diwrnod i dŷ heb wres. Eisteddai Cerys o flaen bwrdd y gegin â thomen o gyfansoddiadau o'i blaen. Eisteddfod y sir. A'r cynnyrch yn doreithiog yn ôl pob golwg. Teimlodd yr ias ac yntau'n dal heb dynnu'i gôt.

'Be' sy? 'Di'r boilar 'di pacio i fyny, 'ta be'?'

'Nac'di,' meddai Cerys. Roedd ganddi siôl dros ei hysgwyddau fel pe bai hi'n mynnu gwneud pwynt.

'Be' 'ta? Pam ti'n rhynnu yn fama?'

'Meddwl baswn i'n dechra arfar,' meddai'n llyfn. 'Erbyn bydd rhaid i mi dalu'r bilia i gyd fy hun.'

Ac fel pe bai gweld ei ddryswch yn peri gormod o loes iddi, gwthiodd un o'r straeon roedd hi'n eu beirniadu tuag ato ar draws y bwrdd.

'Darllen honna,' meddai. 'Ffugenw bach digon del. "Cariad y Bardd".'

Rhoddodd rhywbeth yn ei stumog dro. Gwyddai ei bod hi'n chwilio'i wyneb am ymateb. Cymerodd hithau saib ychydig yn rhy hir fel pe bai'r ddau ohonyn nhw'n gymeriadau mewn drama lwyfan. Gwneud yn siŵr na fyddai o ddim yn camddeall.

'Y stori orau o ddigon. Hanes myfyrwraig yn cael ffling hefo'i thiwtor coleg. Ac ar ôl fflyrtio hefo hi am wythnosau a threulio pnawn hefo hi'n llawn angerdd a rhyw, mae o'n cachu allan.' Roedd ei llais yn rhy wastad, rhy lyfn, fel pe bai hi wedi rihyrsio cyn iddo gyrraedd. 'Mae hi'n cyfleu pethau ychydig yn fwy sensitif na hynny, wrth gwrs.' Saib eto. Anadl herciog. Teimlai yntau fel crio, nid drosto'i hun, ond drosti hi. 'Ac mae'r boi 'ma,' meddai, 'mae o mor debyg i fel roeddet ti ers talwm. A'i enw fo, Eban Glyn. Sbŵci o debyg i Iwan Gwyn, erbyn meddwl. Bron na faswn i'n dweud bod y cyfan yn andros o gyd-ddigwyddiad oni bai am un peth.'

Fel roeddet ti ers talwm. Torrodd ei thynerwch trwyddo. Edrychodd arni, ei wraig ers deuddeng mlynedd, yr un a wyddai bopeth yr oedd angen ei wybod amdano, a rhyngddyn nhw, heb ei grybwyll, roedd marc bychan, coch, cudd.

Siâp mefusen.

Ben ucha'n isa.

Yn dibynnu, wrth gwrs, o ba gyfeiriad roedd rhywun yn sbio.

Y Lôn Wen

Roedden ni'n ista mewn car fel dau gariad ar ben y Lôn Wen a Chastell Caernarfon yn codi dau fys arnon ni o bell, yn gwbod na fasen ni ddim yn medru'i dwtsiad o. Gorweddai Môn yn ôl ei harfer o dan haenen o rwbath – niwl, mwg, angar, PMT – yn cuchio fatha hen long hwylia a'i thin yn y dŵr.

'Gest ti o?'

'Naddo. Dwi 'mond yma achos 'mod i'n dy ffansïo di ac isio sbio arna chdi tra dwi'n byta'n sandwijis.'

'Ffyc off.'

Roedd ei gar o'n drewi. Ogla smocio a *kebab* neithiwr a rwbath arall mwy sicli fatha stwff llnau lle chwech a ffisig annwyd yn gymysg. Sylwais ar yr êr ffreshnar siâp coeden a grogai o'r drych a 'nghysuro fy hun mai hwnnw oedd o. Mi fasa wedi bod yn haws diodda ogla'r *kebab*.

'Gwranda,' medda fo. Gwyro'n nes. Gostwng ei lais. Fel tasa 'na Jîff Insbector a'i nain wedi dod at y ffenest i glustfeinio. 'Wyt ti wedi meddwl am rwbath cryfach erbyn tro nesa?'

'Be'?'

'Dy weld ti'n mynd drwy hwn mor handi. Meddwl basat ti'n lecio rwbath efo mwy o draed dano fo.'

'Nid i mi mae o. I 'nhaid. Yr osteoarthreitus . . .'

'Yli, *chill*. Dio'm otsh gin i 'sa chdi'n ei roi o i'r gath. 'Mond gofyn.'

"Mond deud.'

'Dy bres di dwi'i isio, nid pli ffor ddy difféns. "Sori Iôr Onyr. *It was for my Grandad, yeah? It's his knees, Iôr Onyr. Can't fuckin' move in the mornings, no?*"'

'Paid â chymryd y pis. Ti'm wedi'i weld o.'

'Dwi'm isio'i weld o, mêt. Cwbl dwi isio'i weld ydi lliw dy dwenti cwid nôts di.'

Roedd y niwl ar y môr wedi dechra shifftio o'r gwaelod i fyny fatha windsgrin yn clirio. Majic. Neu dyna a feddyliais i'n hogyn bach pan fyddai Taid yn pwyso botwm yr aer poeth a hwnnw'n chwythu fel draig i glirio'r gwydr yn lân.

'Does dim isio i ti dwtsiad ynddo fo na'i sychu o na dim. Mi glirith ar ei union rŵan, gei di weld.'

Dyna fyddai o'n ei ddweud ar foreau rhewllyd a glawog fel ei gilydd a finna ddim isio i'r rhew na'r angar neu beth bynnag arall oedd yno glirio o gwbl. Byddai hynny'n golygu gorfod cychwyn am yr ysgol, cyrraedd yno, aros yn y blydi lle drwy'r dydd gan wybod y gallwn i fod yn gwneud pethau difyrrach o lawer pe cawn i aros adra, fel bod yn y garej hefo Taid. Ceir oedd ei betha fo. Injans. Tynnu petha o'i gilydd er mwyn gweld sut oedd rwbath yn gweithio. Ni waeth pa mor aml y byddai'n golchi'i ddwylo doedden nhw byth yn dod yn gwbl lân. Roedd yr ôl gwaith wedi treiddio'n ddwfn i'r rhwydwaith o linellau ar gledrau'r dwylo hynny a'u staenio'n ddu fel coesau pryfaid cop.

Pan oeddwn i'n ddigon hen i ista hefo fo yn nhu

blaen y car roeddwn i hefyd yn ddigon hen i bwyso'r botwm chwythu aer fy hun. Yn ddigon hen i holi pa switsh oedd yn gwneud be' a pham. Yn ddeg oed roeddwn i'n ddigon hen i ddallt sut i newid gêr pan oedd yntau'n pwyso'i droed i lawr ar y clytsh. Pan oeddwn i ar fy mlwyddyn gyntaf yn yr ysgol uwchradd roeddwn i'n dreifio'r fan o gwmpas yr iard gefn ac yn dysgu bagio i'r bwlch rhwng dwy ferfa. Yn bedair ar ddeg dechreuais sylweddoli nad oedd unrhyw beth a ddywedai'r un athro, ni waeth pa mor glên oedd o, yn mynd i fod o unrhyw fudd i mi. Fedrwn i ddim canolbwyntio ar yr un ohonyn nhw. Doedd gen i ddim diddordeb ym mhlanhigfeydd coffi Brasil nac mewn syms hefo llythrennau ynddyn nhw yn lle rhifau. Yr unig beth roeddwn i'n ei gofio o'r gwersi Saesneg oedd stori am foi mawr dipyn yn slo yn gwasgu llygoden i farwolaeth yn ei ddwrn. Mi leciais i honno am ryw reswm. Ond mi aeth popeth arall heibio i mi a thros fy mhen i, fel geiriau'r athrawon. Roeddwn i'n gwylio'u cegau nhw'n symud ac yn gwbod fod yna synau'n dod allan ond doedd eu sŵn ddim yn gwneud synnwyr, nid am nad oedden nhw'n siarad yn ddigon eglur ond oherwydd nad oedd gen i mo'r mynadd i drio dallt. Mi fedrwn ista o'u blaenau nhw hyd ddydd y Farn a llusgo llond bag o lyfrau o un stafell ddosbarth i'r llall hyd dragwyddoldeb, ond gwyddwn heb i neb ddweud wrtha i y gallwn i ddysgu llawer mwy pe bawn i yn y garej hefo fy nhaid.

Yn bymtheg oed gwyddwn sut i roi gwasanaeth i injan ac roeddwn wedi helpu i osod sawl rhan mewn car. Roedd hi fel bod yn ddoctor heb orfod poeni am achosi poen gorfforol i glaf wrth ei drin. Doctor mewn dur. Does yna ddim arogleuon sy'n cael eu hamsugno drwy'r croen ac i'r gwythiennau fel arogleuon gweithdy trin ceir – ogla petrol ac oel a Swarfega. Chlywais i erioed eiriau mwy cyffrous yn yr ysgol na'r geiriau ddaeth i glecian trwy fy mhen i yn y garej – silindr hèd, tyrbo, gasget a chrancsiafft, partiau ceir ag enwau arnyn nhw a oedd yn gyfystyr â phŵer a symud a sglein. Yn gyfystyr â gwybodaeth. Yn bymtheg oed gwyddwn bellach i ba gyfeiriad roedd arna i isio mynd. Fyddai hyd yn oed mynd i'r ysgol yn haws i'w oddef pe cawn i ddigon o gymwysterau ar bapur i fy ngalluogi i ddilyn cwrs mecanic yn y coleg ymhen y flwyddyn. Roedd popeth wedi'i fapio allan gen i. Y garej. Busnes teuluol. Ymestyn. Arbenigo. Yr hen foi a fi. Fel erioed. Sortyd. Yn bymtheg oed disgynnodd popeth i'w le. Pymtheg oed a diwrnod a Taid yn dweud y byddai ychwanegu fy enw i at ei enw yntau ar arwydd y garej – Jeff Hughes a'i ŵyr – cystal syrpréis â'r un, drannoeth fy mhen blwydd. *Pwy sydd gin i ond y chdi, Geth? Chdi a dy fam. A tasa honno'n mynd i godi sbanar a dod yma rhyw fore yn ei hofarôl mi fasa wedi gneud hynny erbyn hyn. Mi ddown ni â bywyd newydd i Garej Hughes. Chdi a fi.* Fi a fo. Pymtheg oed a diwrnod a phopeth yn dda.

Pan oeddwn i'n bymtheg oed a dau ddiwrnod bu farw fy nain.

Dwi'n dallt rŵan sut mae pobol yn teimlo ar ôl daeargryn. Nid rhyddhad am eu bod nhw wedi goroesi ond yn hytrach anghredinedd cegrwth oherwydd bod eu bywydau nhw, eu bydoedd nhw, wedi newid mor sydyn ac mor llwyr. Mae'r hyn oedd yn dal popeth hefo'i gilydd wedi chwalu mewn amrantiad. Yn y dyddiau oriog, afreal hynny rhwng marwolaeth fy nain a'i hangladd sylweddolais mai hi oedd y glud. Nid Taid. Nid Mam. Oherwydd Nain roedd Taid yn anorchfygol, yn wariar, yn draethwr heb ei ail. Hi oedd yn ei gynnal o. A hi hefyd oedd ei wendid o. Roedd tynnu fy nain oddi wrth fy nhaid fel tywallt dŵr berwedig i gwpan â chrac ynddo. Doedd o mo'r unig un i golli'r plot pan farwodd Nain. Newidiodd fy mam ei chymeriad yn llwyr ond nid bwrw'i galar yn y tŷ o flaen y tân a'r teli ar miwt wnaeth hi fatha Taid. Yn hytrach, mi ddechreuodd fynd allan gyda'r nosau mewn sgertiau 'dat ei thin a dod adra'n hwyr ag ogla smocio arni. Wn i ddim be' wnaeth i mi deimlo'r cywilydd mwyaf: gorfod cyfaddef fod ganddi uffar o bâr o goesa gan gydnabod fod ei hwyneb hi'n rhy hen i fatsio, 'ta gwbod ei bod hi allan yn hel dynion ac yn bihafio fel pe bai hi newydd gael ei gollwng o jêl. Roedd hi'n gwneud sôn amdani'i hun a Nain heb oeri ac roedd siarad hefo Taid fel dal pen rheswm hefo cysgod.

Wrth i'r berthynas rhwng Mam a fi droi'n fwy o frwydr nag o gyd-fyw mi ddechreuais aros yn amlach yn nhŷ fy nhaid. Daethon ni'n dau'n gyfeillion mynwesol hefo'r meicrowêf ac yn wylwyr sebonau. Roedd gan Taid Sky. Eisteddon ni'n dau drwy hen rifynnau o *Top Gear* yn bwyta prydau parod yn syth o'r cartonau ffoil, fynta'n dilyn pob rhaglen wrth wrando ar dapiau Jim Reeves trwy glustffonau rhyw hen *walkman* a finna'n cael llonydd i godi 'nhraed ar y bwrdd coffi heb i neb gega. Roedd hi'n od o braf jyst bodoli, heb na phwysau na gorfodaeth arna i i gynnal unrhyw fath o sgwrs ddiangen am ddiawl o ddim byd.

Roedden ni'n rhyw lun ar ocê, yn pydru drwy'n galar yn y ffordd y gwyddem ni orau amdani – siarad cyn lleied â phosib a chymryd arnon nad oedd yna ddim byd wedi digwydd. Doedd neb yn busnesa hefo ni, ddim hyd yn oed Mam, a oedd yn rhy brysur yn ailddarganfod ei hieuenctid coll i alaru dros neb na dim. Tarodd honno'n fuan ar foi o'r enw Cliff a oedd, meddai hi, yn gweithio mewn 'constrycsion'. Y gwir oedd mai un o'r dynion a oedd yn gweithio ar drin y lôn rhwng siop Londis a'r bont oedd o; ei job o oedd troi'r arwydd o STOP i GO oherwydd bod 'na ddim traffig leits ac roedd ei gôt *high viz* o'n perthyn i'r cownsil. Dim ond ar ôl sbelan wedyn y des i i ddallt ei bod hi wedi cael sawl llythyr a galwad o'r ysgol ar gownt fy absenoldeb ar adeg mor dyngedfennol, ond nad oedd hi wedi trafferthu i sôn dim am y peth. Bechod na fasa hi wedi trio dangos gronyn o gefnogaeth bryd hynny yn lle hel tafarnau hefo Cliff Stop-an-Go. Efallai basa 'na jans i mi fod wedi sefyll ambell arholiad wedyn a sylweddoli nad oedd neb yn mynd i gynnig lle i mi ar gwrs mecanic tra 'mod i'n treulio pob awr o olau dydd yn slobio ar soffa Taid.

Wnaeth Garej Hughes ddim ailagor ar ôl yr angladd. Soniwyd dim gair wedyn am yr arwydd 'Jeff Hughes a'i ŵyr' ac mi wyddwn innau heb i neb ddweud wrtha i nad oedd dim diben i mi holi. Dwi ddim yn meddwl fy mod i wedi sylweddoli, hyd yn oed cyn i fy nain farw, pa mor ddrwg oedd cricmala Taid. Mi fyddai'n cwyno'n achlysurol fod ei benna glinia fo'n ei hambygio fo a doedd blynyddoedd o orwedd o dan geir ar goncrit oer ddim wedi bod yn garedig wrtho yn hynny o beth. Serch hynny roedd o'n dal ati, yn llawn cynlluniau, yn codi i fynd i'r garej bob dydd a doedd yna mo'r ffasiwn beth yn ei eirfa fo ag oed riteirio. Rhygnodd ymlaen yn rhyfeddol o anninistriol ar bresgripsiwn cartra o frechdanau triog, tatw'n popty a Voltarol. Ond pan beidiodd yr arlwy hwnnw mi beidiodd yntau. Roedd fy nhaid fatha hen gloc; bellach doedd yna neb yno i'w weindio fo. Doedd hi'n ddim syndod felly ei glywed o'n dweud mai gwerthu'r garej oedd ei unig ddewis. Hogyn ysgol heb ddysgu'i grefft oeddwn i o hyd a doedd y lle'n gwneud dim byd ond colled iddo â'i ddrysau ynghlo. Ond sylweddolais i erioed faint fyddai gweld gosod yr arwydd AR WERTH o flaen Garej Hughes yn ei frifo arna i.

Ar y diwrnod y symudodd Cliff Stop-an-Go i mewn at Mam mi symudais innau allan. Yn swyddogol. Roeddwn i'n byw hefo Taid i bob pwrpas erbyn hyn p'run bynnag ac roedd symud gweddill fy stwff yno fel pe bai o'n ffurfioli popeth. Wrth gwrs, pan glywodd Mam fod y garej wedi'i gwerthu mi landiodd y ddau ohonyn nhw hefo potel o brosecco o Aldi a gwenu fatha giatiau lefal crosing. Meddwl bod yna rwbath i'w gael, garantîd. Ond ail gafon nhw. Taid yn rhoi'r gwydraid hirgoes i lawr ar ei hanner a dweud:

'Mi fydd yr hogyn bach 'ma'n sefntîn gyda hyn.' Fel tasa fo'n cyhoeddi canlyniad lecsiwn.

'Hogyn bach!' medda Stop-an-Go, rowlio'i lygaid ar Mam a thagu ar ei swigod siampên cogio. *Eitha gwaith â chdi'r bastad. Trio bod yn annwl mae o ond fasat ti'm yn dallt peth felly, na fasat, a chditha heb blant dy hun? Na fasat, siŵr Dduw. Hel plant pobol erill o'u cartrefi ydi dy sbesialiti di.*

Ond ddywedais i ddim byd, dim ond sbio, a gadael i Taid wneud y siarad. Roedd gen i syniad go lew be' oedd yn dod nesa.

'Dwi wedi penderfynu prynu car i Gethin,' medda fo.

Mi roddodd hynny gaead ar biser Cliff. Wnaeth ei lygaid o ddim rowlio'r tro hwn, dim ond aros yn grwn yn ei ben o. Bleindar, Taid. Fel dangos bocs Paxo i dyrci wsos cyn Dolig.

'Be' ti'n ei ddweud, Marion?' medda Taid wedyn.

Dim, roedd hynny'n amlwg. Y ferch afradlon a'r bybls wedi rhewi'i thafod hi. Gwagiodd Taid weddill ei brosecco fel pe bai o'n yfed wermod cyn mynd yn ei flaen:

'Mae Geth wedi bod yn dda iawn hefo fi ers colli dy fam.' Mi fasai o wedi gallu ychwanegu: *tra buost titha'n hel dy din hyd y lle 'ma fel ast yn cwna.* Ond wnaeth o ddim. Roedd ganddo ormod o urddas i hynny. Neu efallai mai rhwbath arall oedd o. Cyfrwystra. Lladd hefo pluen. 'Wn i ddim be' faswn i wedi'i wneud hebddo fo yn ystod yr holl fisoedd dwytha 'ma.'

Dwinna d'angan ditha cymaint ag rwyt ti fy angan i, Taid, tasat ti ddim ond yn gwbod. Ond 'des i ddim i roi 'mhig i mewn. Nid o flaen Mam a Clive Stop-an-Go oedd y lle i ddangos gwendid rŵan. Roedd yr hen foi on a rôl ac nid fy lle i oedd torri ar ei draws, naci?

'Geth oedd i fod i gael y garej a'r busnes ar fy ôl i. Ti'n gwbod hynny, siawns. Ond nid felly oedd petha i fod, naci?' Roedd Taid yn edrych ar Mam a hithau

33

erbyn hyn yn edrych i'r swigod oedd yn marw yn ei gwydryn. 'Ond mi gesh bris da am yr hen le er gwaetha popeth. Felly mi geith o'r pres gen i mewn ffyrdd eraill. Dwi'n siŵr na fydd gen ti ddim gwrthwynebiad i mi edrych ar ôl dy fab di.' *Gan dy fod ti wedi gwneud cymaint o job gachu arni dy hun.* 'Dydi hi ddim fel tasat ti angan y pres erbyn hyn, nac'di? Yn enwedig rŵan bod gen titha ddyn i dy gadw di.'

Be' fedrai hi'i ddweud yn wyneb y fath haelioni tuag at ei hunig-anedig fab? Dim byd a hynny am yr eildro. Dim ond sbio ar Taid fel pe bai o newydd gyhoeddi'i fod o wedi ennill y loteri ac wedyn wedi fflysio'r ticad i lawr y pan reit o dan ei thrwyn hi a Clive. Yn rhyfedd iawn, doedd yna fawr o hwyl aros arnyn nhw ar ôl hynny.

'Mwy o fod isio mynd nag isio aros ar yr hen Stop-an-Go heno 'ma,' medda Taid ar ôl iddyn nhw fynd. 'Yr hen fecanic wedi medru rhoi sbocsan yn ei olwyn o wedi'r cwbl.'

Ond er gwaetha'r jôcs tila roedd heno wedi bod yn ymdrech iddo. Roedd codi o'i gadair yn fwy o ymdrech fyth.

'Pasia fy nhabledi i, washi.'

Y co-codamols cachu rwtsh a'r Naproxen oedd yn chwalu'i stumog o'n racs. Cyfnewid un artaith am y llall. Roedd ei wyneb o'n gwlwm llwyd, y boen wedi'i gnoi o a'i boeri o allan drachefn fatha darn o hen jiwing gym. Felly roedd hi wedi bod ers wythnosau ac felly'r aeth pethau yn eu blaenau am sbelan wedyn. Mi gafodd dabledi eraill, cryfach. Aeth ei stumog o'n salach. Injecsions a chrîms. Eli ac olew ac anobaith. Rhwng y Deep Heat a'r Fiery Jack roedd ogla fatha bocsar arno fo ond dagrau pethau oedd ei fod o'n wan fel cath.

Yn ddwy ar bymtheg oed mi basiais fy mhrawf gyrru ar y cynnig cyntaf. Er bod bylchau mawr yn fy addysg i, yr eironi mawr oedd nad oeddwn i ddim yn hollol ddwl. Roedd gyrru car yn ail natur i mi ac roedd y blynyddoedd hynny o brofiad cyn pryd yn cnocio'r hen fan honno o gwmpas iard y garej wedi talu ar eu canfed. Chefais i ddim trafferth gyda'r theori chwaith er nad oeddwn i'n sgwennwr nac yn ddarllenwr. Synnwyr cyffredin oedd o i gyd ac mi ddaeth y cyfan i mi'n hawdd. Mae'n debyg y byddai'r ymadrodd 'tasa gin hwn frên mi fasa fo'n beryg' wedi fy nisgrifio fi i'r dim bryd hynny. Roedd yna rwbath arall, wrth gwrs, a oedd wedi fy sbarduno i i basio fy nhest: y ffaith syml nad oedd gen i ddim dewis. Roedd gorfod gwylio rhyw dacsi drafftiog yn nôl Taid i fynd i'w apwyntiadau ysbyty, ac yntau'n gorfod disgwyl wedyn am allan o hydion i gael ei ddanfon adra, yn fy lladd i. Pe bawn i'n dreifio gallwn i wneud hynny.

Pris bychan i'w dalu oedd bod ar gael i ddanfon Taid i weld doctor neu bicio i nôl neges neu bresgripsiwn neu decawê, a finna wedi cael car na allwn i ddim ond bod wedi breuddwydio amdano oni bai am arian y garej. Doedd bod yn berchen Ford Focus dwyflwydd oed (*Does yna neb call yn prynu car newydd sbon, washi. Colli gormod o bres arno fo!*) ddim heb ei fanteision. Mi ges gariadon, mi ges fywyd cymdeithasol o fath. Mi ges i joban mewn garej, hyd yn oed, er mai garej gwerthu petrol oedd hi, nid garej trin ceir. Ond pharodd honno ddim yn hir. Fu hi fawr o dro cyn i mi sylweddoli fod Taid angen rhywun i ofalu amdano rownd y cloc. Ymhen dipyn doedd hi ddim yn ymarferol i mi fynd a'i adael o ar ei ben ei hun am gyfnodau hir. Doedd gofalu am fy nhaid, er mor baragonaidd o anhunanol mae hynny'n swnio, ddim yn fwrn arna i mewn unrhyw ddull na modd. Roedd o a fi fel un. Wastad wedi bod felly. Partnars. Pwyso'r botwm a'r niwl yn chwalu. Majic. *Ro' i fy nhroed ar y clytsh a mi gei ditha newid gêr.* Jeff Hughes a'i ŵyr. Doedd dim angen profi hynny hefo arwydd uwchben drws garej.

Yr hyn oedd yn fy llethu, fodd bynnag, oedd gorfod bod yn dyst i'w ddirywiad ddydd ar ôl dydd, a gwylio'i anabledd yn ei watwar. Yr unig beth i dynnu'r sglein oddi ar y car newydd oedd y ffaith fod mynd iddo a dod allan ohono yn arteithiol i benna glinia fy nhaid. I'w falchder o. Roedd hwnnw eisoes mor uffernol o fregus fel nad oedd fiw i mi fynd ato'r noson honno pan ddes i adra a chael hyd iddo yn ei ddagrau. Fyddai fiw i mi fod wedi cymryd arnaf fy mod i wedi bod yn dyst i'r gwendid hwnnw. Roedd gwybod hynny ynddo'i hun yn galonrwygol i mi, ond roedd peidio cracio'r balchder-plisgyn-wy hwnnw'n bwysicach na rhoi fy mraich amdano. Roedd o'n trio sefyll, yn ei gynnal ei hun drwy bwyso yn erbyn y bwrdd nes roedd ei figyrnau'n wyn. Disgynnai'r dagrau ar y migyrnau hynny, dagrau ysbeidiol, trwm yn gollwng a chwalu fel landar yn diferu ar ôl cawod. Tybiais mai siarad hefo fo'i hun roedd o ond sylwais fod y llun a arferai fod ar y silff ben tân, y llun du a gwyn ohono fo a fy nain ar ddydd eu priodas, ar y bwrdd o'i flaen. Roedd arian y ffrâm fechan fel cyllell boced yn y gwyll. A hefo hi roedd o'n siarad. Nid geiriau o gariad roedd o'n eu llefaru, ond gallasent fod yn llwon priodas gan mor dyner y gosododd y pwyslais ar ysgwydd pob un:

'Wna i ddim, Annie,' meddai. Ei lais o'n isel, isio bod yn heriol ond yn darfod fel y dydd. Tu allan roedd y tywyllwch yn ennill ei blwy, yn lledaenu'n farus fel yr eryr ac yn trochi'r ystafell mewn cysgodion. 'Wna i ddim tra bydd chwythiad yno' i. Wna i ddim cerdded hefo ffycin ffon.'

Arhosodd y darlun hwnnw hefo fi, y geiriau, y dagrau, golau'r lamp yn y stryd tu allan a'i ymylon yn toddi'n erbyn y ffenest fel pilsen lladd poen; fy ngweithredoedd tila i fy hun, stumiau bach llwfr fel ailglepian y drws a gweiddi 'Dwi adra', rhoi cyfle iddo gael trefn arno'i hun a chogio bod popeth yn iawn rhag i'r un o'r ddau ohonon ni orfod wynebu'r gwir a fyddai'n chwalu'r hud. Fo oedd crëwr y majic, nid fi. Yn clirio'r niwl o'r gwaelod i fyny heb orfod cyffwrdd mewn dim ond y botwm sbesial a oedd yn gwneud y cyfan. Roedd arna i isio gwneud yr un peth iddo fo ond fedrwn i ddim, felly mi wnes y peth ail orau: cario sbageti drwodd iddo fo ar hambwrdd, pacio'i glustogau o'n uchel, rhoi remôt y teledu ar fraich ei gadair, a gosod y coctel arferol o dabledi ar soser fel rhyw fath o bwdin dieflig i orffen ei bryd.

'Ti am ista i lawr i watsiad Coronêshon?'

Hoff raglen Nain. Doedd hi byth yn colli *Corrie*. Doedd ganddo yntau ddim mynadd hefo fo pan oedd hi'n fyw ond rŵan doedd fiw colli dim un. Roedd hi fel rhyw ddefod arteithiol ond hanfodol roedd o'n mynnu glynu ati i'w amddiffyn ei hun rhag mwy o shit, fel lluchio halen dros ei ysgwydd chwith neu foesymgrymu i bioden.

'Na, dwi am gêm o bŵl efo'r hogia yn yr Hart. Awran fydda i.'

'Paid ag yfad a gyrru, washi.'

''Mond hannar, Taid.'

Felly roedd hi bob nos Fercher. Yr un holi, yr un ateb. Defod saff arall fel panad a Kit Kat am naw hefo'r niws. Doedd awran yng nghwmni'r hogia ddim yn swnio'n fawr o frêc ond roedd o'n ddigon. Newid aer, newid awyrgylch, cael mynediad i ryw boced fach o normalrwydd lle roedd malu cachu'n ocê, a dod adra hefo ogla mwg ar fy nghôt. Ac yno, yn nhafarn y White Hart, yng nghanol y malu cachu, mi darais i ar Wil Goch. Mêt i fêt. Eiddil. Main fel llwynog ac ogla wîd arno fo. 'Cŵl' oedd yr unig beth a ddywedodd o pan wrthodais i sbliff ganddo. Doedd bod o gwmpas drygs ddim yn ddychryn i mi. Roedden ni i gyd wedi arfer gweld Cono Bach yn snortio lein oddi ar y porslen yn y lle chwech, gwyn ar wyn, fel tasai'r tanc dŵr cyfan yn mynd i ddiflannu i fyny'i drwyn o. Gweld ei lygaid o'n goleuo wedyn wrth i'r effaith ei daro fo, 'run fath yn union â phe bai ganddo fo fylb golau yn ei benglog. Roedden ni hefyd wedi gweld digon o ganabis yn yr ysgol i adnabod yr ogla a'r olwg ar wynebau'r rhai a oedd yn ei smocio fo. Dyna oedd yn gwneud y gwersi ar gyffuriau'n jôc. Athrawon yn dangos lluniau ohonyn nhw mewn llyfrau ac yn dallt diawl o ddim amdanyn nhw. Tasan nhw wedi mynd rownd cefn yr hen gampfa amser brêc mi fasen nhw wedi gweld pam nad oedden ni'n gallu cymryd eu crap nhw o ddifri.

Roeddwn i'n un o'r eithriadau ymysg ein criw ni. Doeddwn i erioed wedi trio dim byd. Wedi methu smocio sigarét hyd yn oed. Yn groes i'r hyn a feddyliech chi, doedd yna ddim pwysau i gymryd dim byd felly. Doedd gwrthod cymryd drag gan rywun ddim yn big dîl. Ac roedd stwff yn costio gormod beth bynnag i'w gynnig o i ryw dwat fel fi nad oedd o'n barod i'w werthfawrogi o.

'Ti'n gorfod bod yn y mŵd,' medda Wil Goch. Roedd y gwynt yn oer wrth i ni lechu o gwmpas y wîli bins yn iard gefn yr Hart. 'Jyst mynd efo fo, ia, mêt.'

Roedd hi'n amlwg fod Wil yn 'mynd efo fo'. Fel y crys-T llac a hongiai oddi ar ei esgyrn megis oddi ar hangar pren, doedd yr oerni ddim yn ymddangos fel pe bai'n ei gyffwrdd o. Roedd y cyffur yn ei gynhesu o'r tu mewn fatha lobsgows.

'Lle rwyt ti'n ei gael o?' medda fi. Fel pe bai ots gen i erbyn hyn. Rhwbath i'w ddweud oedd o. Roedd y lleill i gyd wedi'i sbydu hi ac roedd hi'n amser i minnau ei throi hi am adra. Doeddwn i ddim ond wedi aros hefo fo oherwydd fod golwg unig arno fo. Nid ei fod o'n unig. Edrych felly oedd o am ei fod o'n denau a'i ddillad o'n rhy fawr. A phan edrychais i i'r pellter yn ei lygaid o sylweddolais y gallai hynny fod yn lot o bethau, ond doedd o ddim yn unigrwydd.

'Ei ddwyn o o stash Dad.'

'Be'? Mae dy dad yn ei smocio fo?'

'Rhesyma meddygol,' medda Wil. 'Mae ganddo fo MS. Cont o beth, ia? Wîd ydi'r unig beth sy'n ei relacsio fo.'

A dyna barodd i minnau anghofio'r oerni ac ymddiried yn Wil Goch fel pe bai o'n gonsyltant yn

Ysbyty Gobowen am y cricmala oedd yn arteithio fy nhaid. Mae yna gyfrinachedd od – a bron yn therapiwtig – mewn ymddiried yn rhywun sy'n stônd: gwrandawodd Wil ar fy stori hefo'r un diddordeb ysol â phe bai o yng nghrafangau'r pibydd hud, ond gwyddwn erbyn drannoeth na fyddai o ddim yn cofio bod yn y fan hyn hefo fi erioed.

Cyn i mi fynd a'i adael o, tynnodd fag bach o'i boced a'i wasgu i gledr fy llaw.

'Deud wrth dy daid am drio fo. Gwell nag *ibuprofen*, mêt.'

Wn i ddim be' wnaeth i mi gytuno mor barod. Ei wybodaeth feddygol o'n ennyn ffydd yno' i, efallai. Y ffaith ei fod o'n gwybod enwau cymaint o wahanol dabledi. Neu'r rheswm na fyddai yna neb arall heblaw Spiderman wedi gallu sefyll yno heb rewi i farwolaeth yn gwisgo rwbath nad oedd o fawr cynhesach na fest.

'Tenar,' medda fo wedyn. Doedd o ddim mor stônd chwaith fel ei fod o isio'i roi o i mi'n bresant. Ond mi wnaeth o roi hanner paced o Rizla i mi hefo winc a dweud:

'Rhaid i chdi brynu dy faco dy hun, ia?'

Mi gymerodd noson neu ddwy i mi fagu digon o blwc i sôn am y canabis wrth yr hen ddyn. Ond roedd o'n rhyfeddol o cŵl am y peth. Rhywun ar y Coronêshon 'na yn diodda hefo rwbath tebyg, medda fo. Wnaeth o ddim holi o le cefais i'r stwff chwaith, dim ond dweud:

'Tasa yna rywun yn ffendio allan mi fasan ni'n cael jêl.' Ac yna, ar yr un gwynt: 'Be' sy isio'i wneud, 'lly? Ei rowlio fo mewn dipyn o Golden Virginia, ia?'

Wn i ddim i sicrwydd faint roedd y cyffur yn ei leihau ar y boen mewn gwirionedd, ond ar ôl iddo gael smôc roeddwn i'n gweld fflachiadau bach o Taid fel roedd o ers talwm, cyn i Nain farw, cyn gwerthu'r garej, cyn i'r cricmala ddechrau'i glymu o i'w gadair. Pan gymerais i smôc hefo fo'r tro cynta hwnnw roeddwn i'n cachu plancia. Ond fedrwn i ddim gadael iddo fo'i brofi o ar ei ben ei hun, na fedrwn? Fedrwn i ddim mo'i annog o i fynd i lawr lôn ddiarth heb afael yn ei law o. Ond doedd fiw i mi fod yn gachwr chwaith, nag oedd? Meddyginiaeth oedd hwn i fod. Rwbath i helpu. Roedden ni ynddi hefo'n gilydd. Butch Cassidy a'r Sundance Kid. *Ti'n gorfod bod yn y mŵd.* Ond roedd Taid yn weddol cŵl ynglŷn â'r peth. Wedi dod i ben ei dennyn, siŵr o fod. Mi fedra i weld hynny erbyn hyn.

Dyma ni'n eistedd yno a'r teledu ar miwt ond y tro yma mi roish i Jim Reeves ar y stereo iddo fo. Wyddwn i ddim fod hwnnw cystal canwr. Roedd pob nodyn yn swnio'n gliriach, yn burach. Pob lyric yn gwneud mwy na dim ond synnwyr; roedden nhw'n ddoethinebau, yn wirioneddau nad oedd neb arall erioed wedi meddwl eu canu o'r blaen. Mae o'n gwneud hynny i rywun, medda Wil Goch wedyn. Gwneud i fiwsig swnio'n well. Wel, os mai fel'na oedd Jim Reeves yn swnio i mi ar ôl i mi gael sbliff fedra i ddim ond dychmygu sut oedd o'n swnio i Taid, a oedd eisoes yn meddwl mai fo oedd y canwr gorau i dorri record erioed. Doedd y cyffur ddim yn feddyginiaeth hud a lledrith. Doedd Taid ddim mymryn gwell yn trio codi o'i wely fore trannoeth. Ond y nosweithiau hynny pan eisteddon ni hefo'n gilydd hefo smôc yn gwrando ar ganu gwlad a'r unig olau yn yr ystafell yn dawnsio o'r teledu mud, roedd hi fel chwifio hudlath dros dro a gwylio'r niwl unwaith eto'n clirio o'r gwaelod i fyny.

Fedrwn i ddim dibynnu ar Wil Goch i fy nghyflenwi hefo'r canabis ond drwyddo fo y des i i gysylltiad ag Albi. Llŷr oedd ei enw iawn o, ond Albert Neville-Jones oedd enw'i dad o: Albi, cyn-brifathro'r ysgol uwchradd leol y bu i mi ei mynychu ond heb basio dim byd heblaw'r giât. Bastad mewn croen oedd Albi, meddan nhw. Meddai fy mam fy hun. Fo oedd y prifathro pan oedd hi'n ddisgybl yno. Efallai y byddai mwy o drefn wedi bod arna i – ac ar yr holl smygwyr dôp oedd yn cuddio yng nghefnau'r hen gampfa – pe bai Albi wedi bod yn brifathro arna i. Ac eto, wn i ddim chwaith. Ei fab o ydi'r un sy'n dreifio BMW sofft top hefo sics-plêt ac yn medru'i fforddio fo am ei fod o'n gwerthu drygs. Biti na fasa fo'n cadw'i du mewn o'n lanach.

'Dylat ti llnau dipyn ar hwn,' medda fi. Roedd ogla *kebab* wsos dwytha wedi mynd ond roedd yna focs pitsa gwag ar lawr rhwng fy nhraed i'n brolio'i ogla'i hun.

Ar ben y Lôn Wen. Ista yn ei gar o fel dau gariad a'r dre frenhinol yn closio'n erbyn y gorwel, yn dynn fel jig-so. Roedd y Foryd ar goll, y tamaid ddisgynnodd oddi ar ymyl y bwrdd a'r ci'n ei fwyta fo.

'Bechod,' medda fi wedyn. Am ryw reswm roedd arna i isio'i brocio fo. Cael ymateb. Roeddwn i'n flin hefo hwn heddiw. Yr Albi ddiawl 'ma a'i watsh ddrud. Yn flin fod rhaid i mi ddod yma ato fo er mwyn prynu hanner awr o ddedwyddwch i fy nhaid ar gyfer ambell i gyda'r nos fel bod modd iddo allu cofio adeg pan oedd o'n medru agor pot jam heb wingo mewn poen. 'Car smart fatha hwn yn haeddu mwy o barch.'

'A be' dio i chdi, Mary Poppins?'

''Mond deud,' medda fi. Pigog. Gwthio fy lwc. 'Gan mai pres pobol fatha fi sy wedi talu amdano fo.'

Ond doedd Albi ddim yn un hawdd i'w bechu. Peth da oedd hynny am wn i; roedd ganddo fo ysgwyddau fatha wardrob.

'Ti'n stresd, mêt. Angan *chill*. Ma' gin i jyst y peth i chdi.'

'Dwi wedi deud wrthat ti o'r blaen. Dwi'm isio dim ond y stwff arferol.'

'Ma' hwn am ddim. Rhyw wobr fach am fod yn gwsmar da. Fel maen nhw'n ei wneud yn y siopa mawr 'ma. Meddylia amdano fo fatha pwyntia ar dy glyb card.'

Pwysodd becyn bychan i fy llaw i.

'Cic mul yn hwnna,' medda fo.

'Wna i mo'i iwsio fo,' medda fi.

'Rwbath bach i ti ydi hynny.'

'Ella mai powdwr golchi ydi o.'

'Ella wir. Ond fyddi di'm yn gwbod nes byddi di wedi'i drio fo, na fyddi? Rŵan dos â dy gelc adra at Taid yn hogyn da. Dwi isio mynd i llnau 'nghar, yli.'

Diflannodd Albi'r un ffordd ag y daeth ar hyd y Lôn Wen, y Bî Em yn rhy lydan iddi, yn rhy gyfoes, yn sgrech o liw lle nad oedd lliw i fod. Y lôn a ddilynais ers wythnosau a'i harddwch caled yn edliw rwbath i mi na wyddwn i ddim yn iawn sut i'w ddehongli; fi a fy rholyn diniwed o bapurau decpunt, wedi dod i drio prynu ddoe yn ôl o bocad tin fy jîns.

Wn i ddim be' roddodd y sioc fwyaf i mi pan gyrhaeddais i adra – yr ambiwlans 'ta Mam yn ei dagrau a'r ddau lwybr malwan o fasgara hyd ei bochau hi'n gwneud iddi edrych fel pe bai hi wedi colli'r ffordd i barti Calan Gaeaf. Doedd 'na ddim golwg o Clive.

'Dy daid,' meddai. 'Wedi colapsio. Maen nhw'n meddwl mai'i galon o . . .'

Mi ddilynon ni'r ambiwlans. Doedd yna ddim roedden nhw'n gallu'i wneud. Bu farw Taid cyn cyrraedd yr ysbyty. Wyddwn i ddim be' i'w ddisgwyl pan es i i mewn i'w weld o ond edrychai'n fengach, ei groen o'n llyfnach heb y rhychau poen. Doedd o ddim yn edrych fel corff. So long, Butch Cassidy. Nid fel hyn roedd hi i fod a'r Sundance Kid yn dal ar ôl yn magu cwpan o de rhy boeth â blas cardbord arno fo.

Mae tŷ gwag yn dal i wagio ar ôl i rywun farw fel bwcad hefo twll ynddi. Dim ots faint o atgofion ddaw, un ar ôl y llall, lenwan nhw byth mo'r bwlch. Drip drip drip. Diferu maen nhw. Nes bod yna ddim ar ôl ond sŵn y cloc. Felly mi roish i Jim Reeves ar y stereo. *Adios, amigo. Adios, my friend.* Eisteddais wrth yr hen fwrdd mawr oedd yn llyfn fel gwydr ac estyn y pecyn o bowdwr gwyn o fy mhoced. Meddyliais am Cono Bach yn lle chwech yr Hart yn gosod llinell fach ar hyd y porslen oer ac yn twtio'i hochrau hi'n ddel hefo'i drwydded yrru. Lein fach. Lôn fach. *The road we have travelled has come to an end.* Jeff Hughes a'i ŵyr. Silindr hèd, gasget, tyrbo, crancsiafft. *Ro' i fy nhroed ar y clytsh a mi gei ditha newid gêr.* Chwalu'r niwl. Majic.

Gosodais linell o bowdwr ar y bwrdd.

Tasa yna rywun yn ffendio allan mi fasan ni'n cael jêl.

Llinell fach a'i hochrau'n dwt.

Ti'n stresd, mêt. Angan chill.

Fy lôn wen fy hun. Ac er mwyn prynu darn o ddoe yn ôl mi fyddai'n rhaid i mi ei dilyn hi i'r pen.

Daiwa SR3

Polyn pysgota ydi'r Daiwa SR3. Nid gwialen. Polyn carbon ffeibr ysgafn fel pluen a bregus fel plisgyn wy. Mi wn i hynny o brofiad ar ôl i mi sefyll ar un. Neu i fod yn fanwl gywir, ar ddarn o un, o achos bod y polyn yn dod mewn darnau er mwyn galluogi'r pysgotwr i'w gwtogi neu i'w wneud yn hirach fel bo'r gofyn. Ac i fod yn fanylach ac yn gywirach fyth, nid sefyll ar y darn polyn a wnes i mewn gwirionedd. Y gwynt chwythodd o dan fy nhroed i wrth i mi basio heibio. Mi ddywedais i gynnau pa mor ysgafn oedd y polyn, yn do? Ac mi allwch fentro y byddai darn o bolyn fel hyn ar ei ben ei hun yn ysgafnach fyth. Ac wrth i mi deimlo fy nhroed yn sathru'r darn mi glywais sibrydiad o glec fel pe bawn i newydd sathru malwen. A theimlo hefyd yr un chwithdod euog yn fy nharo â phe bawn i wir wedi rhoi terfyn ar fywyd creadur diniwed o'r fath.

Roedd perchennog y polyn pysgota, bachgen ifanc oddeutu pedair ar ddeg oed, yn eistedd ar sedd uchel a oedd hefyd yn focs â drorau bach yn ei ochrau lle y cedwid gêr fel bachau a sisyrnau a fflôts a phlwm ac amrywiaeth o daclau tebyg. Roedd hon yn amlwg yn gêm ddrud ac yn un i'w chymryd o ddifrif o edrych o gwmpas ar yr offer oedd gan bawb a'r dillad roeddent yn eu gwisgo: trowsusau bib-an-brês o ddeunydd dal dŵr, esgidiau blaenau rwber a chapiau pig yn dwyn enwau fel Korda, Maver, Preston, Shimano ac wrth gwrs, Daiwa. Enwau'r cwmnïau offer pysgota mawr go iawn, y rhai oedd yn noddi ac yn rhoi eu henwau ar bopeth. Nid dyma'r lle i landio mewn cap stabal a phâr o welingtons hefo gwialen fôr o Argos.

Mae'n debyg rŵan hyn mai dyma pryd y dylwn i egluro pam fy mod i fy hun wedi dod i le o'r fath, pam fy mod i'n sefyll ar lan llyn yn gwylio cystadleuaeth bysgota. Unwaith eto, i gael bod yn fanwl gywir, doeddwn i ddim yno ar fy mhen fy hun. Roedd fy mab, Carwyn, wedi cytuno i ddod hefo fi er mai ar hyd ei din y gwnaeth o hynny mewn gwirionedd.

'Duw, waeth i ti ddŵad hefo fi ddim,' medda fi, a chan mai'r dewis arall oedd mynd hefo'i fam i edrych am hen fodryb, tybiodd ar ôl pwyso a mesur mai'r lleiaf boring o'r ddau weithgaredd oedd llusgo ar fy ôl i. Doedd hyn ddim cyn iddo benderfynu stwffio clustffonau digon arteithiol yr olwg i'w glustiau er mwyn sicrhau y byddai hi'n haws i mi gysylltu hefo llinell gymorth ar y lleuad na chael unrhyw fath o sgwrs gall hefo fo.

Fel y digwyddodd pethau roedd gan Carwyn yr un faint o ddiddordeb mewn pysgota llyn ag oedd ganddo mewn rasio malwod. Cododd y gwynt ryw fymryn a chribinio'r dŵr a sylwais ar yr ias yn ei gerdded yn sydyn drwy'r cadach o siaced roedd o wedi dewis ei gwisgo. Canolbwyntiai'n ffyrnig ar y sŵn yn ei glustiau a'r ffôn yn ei law. Roedd y broses bondio 'ma'n mynd i fod yn anos nag a feddyliais.

'Mae'n rhaid i ti drio'n galetach hefo fo,' meddai Meriel. 'Chdi ydi'r oedolyn, wedi'r cyfan. Mae o'n gyfnod anodd, yr arddegau 'ma.'

Mae'n rhaid fy mod innau, rhywbryd, wedi mynd drwy fy arddegau ond does gen i fawr o gof o neb yn dweud fod rhaid fy nhrin i hefo cyllell a fforc oherwydd fy mod i'n mynd 'drwy gyfnod anodd'. Mi ges gic yn fy nhin i fynd i weithio ar benwythnosau'r munud roeddwn i'n ddigon hen. Yr ysgol o ddydd Llun tan ddydd Gwener a'r iard goed hefo Wil bob dydd Sadwrn a phob gwyliau wedyn tan fy mod i'n ddigon hen i droi allan i'r byd go iawn. Roedd hyn, yn ôl fy nhad, yn fy nghadw fi allan o drybini ac yn ffordd i mi ddysgu gwerth y geiniog. Doedd o ddim yn bell iawn o'i le. Roeddwn i'n gweithio hefo Wil am deirpunt y diwrnod mewn cyfnod pan oedd punnoedd yn bres papur gwyrdd a oedd yn hel yn ddel mewn bocs sgidia o dan fy ngwely i ac yn dod i edrych yn ffortiwn yn fuan iawn. Nid fel y punnoedd sydd gynnon ni heddiw. Rhywbeth i'w stwffio i droli archfarchnad ydi pishyn punt erbyn hyn. Bryd hynny roedd papur punt yn edrych fel pe bai o'n werth rhywbeth, yn arian i'w drysori, a phan fyddai gen i fwndel ohonyn nhw yn y bocs byddai eu cyfri'n ddegau a'u clymu'n rholiau bach hefo lastig band yn rhoi i mi'r boddhad rhyfeddaf. Roedd fy nhad yn llygad ei le ynglŷn â dysgu gwerth y geiniog. Fi oedd yn prynu fy nillad fy hun wedyn, pâr o Levi 501s, sgidia ffwtbol lledr. Roeddwn i'n llnau'r styds ffwtbol hynny'n ddefodol ar ôl pob gêm nes eu bod nhw fel newydd bob tro oherwydd mai fy mhres i oedd wedi talu amdanyn nhw. Roedd hi'n wers mewn bywyd a fyddai'n lles i sawl un o'r llafnau ifanc 'ma heddiw, gan gynnwys fy mab i fy hun. Mae yna ormod o folicodlo arnyn nhw. Cael gormod heb orfod codi bys i weithio amdano fo. Efallai fy mod i'n traethu rŵan yr un fath â'r cymeriad Victor Meldrew hwnnw y mae Meriel mor hoff o fy nghymharu i hefo fo, ond dwi ddim yn cofio fy nhad fy hun yn cymryd dyddiau o'i waith i wneud ymdrech i 'fondio' hefo fi. A hyd yn oed pe bai o wedi gwneud hynny a minnau'n ei anwybyddu'n fwriadol i wrando ar fy hyrdi-gyrdi bach preifat fy hun, mi fyddai fy nwy glust i'n rhy boeth o beth cythral i mi fedru stwffio unrhyw fath o fiwsig iddyn nhw: mi fasan nhw'n canu digon ar eu pennau'u hunain.

Nid bod gen i unrhyw fwriad o gyffwrdd pen bys yn Carwyn nac achosi unrhyw fath o loes iddo fo. Dim ond dweud rydw i pa mor wahanol roedd pethau pan oeddwn i'n hogyn. Roedd gen i barch at fy nhad ond roedd gen i ei ofn o'n ogystal. Fynnwn i byth i Carwyn fod fy ofn i. Ond mi faswn i'n lecio meithrin gwell perthynas hefo fo. Dwi'n cyfaddef na roish i mo'r amser iddo a finnau mor brysur yn sefydlu'r busnes. Wedi gweithio fel cyfrifydd i ddechrau – ia, yr holl ymarfer ges i'n cyfri'r papurau punnoedd hynny'n talu ar ei ganfed! – roedd medru cychwyn fy nghwmni fy hun o'r diwedd a chael pobol eraill yn gweithio i mi yn gyffro na fedra i mo'i ddisgrifio'n iawn er mwyn gwneud teilyngdod â fo. Roedd o'n deimlad o ennill pŵer, grym, o gyrraedd rhywle ar fy liwt fy hun heb dderbyn unrhyw ffafrau gan neb. Yr hen werthoedd. Egwyddorion 'rhen ddyn fy nhad ar waith a diolch amdanyn nhw. Paid byth â bod yn ddrwgdalwr. Cliria dy filia mewn trefn. Cefais fil o bunnoedd ganddo unwaith – benthyg, nid eu cael yn ddiamod – er mwyn prynu car. Fe'u telais yn ôl iddo bob ceiniog ymhen tri mis. Roedd Dad yn fistar caled. Os nad oedd o wedi llwyddo i greu *entrepreneur* rhyngddo fo a Wil Iard Goed, roedd o wedi creu wyrcaholig yn reit siŵr. Doedd gen i ddim ofn gwaith ac yn sicr ddigon doedd gen i ddim ofn delio hefo pres.

Roedd mynd yn gynghorydd ariannol yn gam naturiol i mi o ran dewis gyrfa. Roedd sefydlu fy nghwmni fy hun wedyn yn gam mwy naturiol fyth. Bod ar y top, rheoli, perchennog busnes llwyddiannus a oedd bellach yn cynnig gwasanaeth i eraill ar sut i reoli eu harian – roedd hyn yn fwy na bywoliaeth i mi, roedd o'n wireddu uchelgais, yn sicrwydd ariannol ac yn fwy hyd yn oed na hynny yn ffynhonnell adrenalin na wyddwn i ddim lle arall i'w gael. Roeddwn i'n bwydo ar y *buzz*, ac roedd yr awydd bachgennaidd i allu profi y gallwn gadw fy ngwraig newydd mewn handbags drud yn fy ngyrru ymlaen, ond ni ddaeth yr holl lwyddiant heb ei bris.

Roeddwn i'n gweithio oriau hir a rhoddodd hynny straen ar fy mhriodas o'r dechrau. Doeddwn i a Meriel ddim ond wedi bod yn briod ers blwyddyn pan ges i affêr. Dydw i ddim yn falch o'r peth nac ohono' i fy hun a wna i ddim hel esgusodion drwy feio Meriel am ei bod hithau'n rhy brysur i roi sylw i mi. Ond ffeithiau ydi ffeithiau a does dim iws trio stwffio troed hwch i esgid arian a'i galw hi'n Sinderela. Roedd Meriel yn athrawes ar ei blwyddyn gyntaf ac roedd y llwyth gwaith oedd ganddi i ddod adra hefo hi tu hwnt i bob rheswm a synnwyr. Dyna pam dwi'n gwylltio hyd heddiw pan glywa i'r sinics yn rhedeg ar athrawon ac yn ddirmygus o'r ffaith eu bod nhw'n cael gormod o wyliau. Dwi isio gweiddi arnyn nhw: trïwch chi gael trefn ar y ffernols bach a wedyn dod adra i farcio a pharatoi tan ddau o'r gloch y bore cyn codi am saith i fynd i wynebu'r holl shit eto. O achos mai felly'n union roedd hi hefo Meriel. Ymhen dipyn mi fedrais gyflawni fy addewid i'w chadw hi mewn handbags a sgidia a phob dim arall fel nad oedd rhaid iddi dywyllu coridorau'r fath Gehenna o le wedyn. Dwi wastad wedi bod yn falch fy mod i wedi gwneud hynny pe bai o ddim ond yn lleddfu rhywfaint ar fy euogrwydd yn ystod y dyddiau cynnar 'na.

Nid yn unig roeddwn i a Meriel yn gorweithio, roedden ni'n colli mynadd hefo'n gilydd hefyd. Rhywle i gysgu'n unig oedd gwely iddi hi. Roeddwn innau hefyd wedi ymlâdd ond nid gormod felly fel nad oeddwn i ddim isio estyn amdani yn yr oriau mân ac ymgolli yn ei meddalwch hi. Dagrau pethau oedd nad oedd ganddi hi mo'r un awydd i gymryd cysur yno' i. Ac yn lle trio deall yn well wnes i ddim ond rhoi'r gorau i droi ati. Fu hi fawr o dro wedyn nes i mi gael hyd i rywun arall.

Mae ei roi o fel'na'n swnio'n rhy glinigol a rhyw fymryn yn sordid hefyd, dim ond i mi gael bod yn deg â mi fy hun am eiliad. Wnes i ddim mynd allan gyda'r bwriad o gael hyd i rywun arall. Wnes i ddim mynd allan i chwilio am neb. Efallai fod hynny'n wir yn y rhan fwyaf o achosion erbyn meddwl. Nid fy mod i'n hel esgusodion dros ddynion sy'n twyllo'u gwragedd. Does yna ddim cyfiawnhad. Ond mae'r euogrwydd sy'n plagio rhai ohonon ni wedyn am weddill ein hoes yn ddigon o gosb ynddo'i hun. Y cyfan dwi'n trio'i ddweud ydi nad ydi bywyd ddim bob amser yn ddu a gwyn. Mae yna fwrllwch rhwng y ddau; ôl bodiau ar y lens. Does yna ddim ffin rhwng 'gwnaf' a 'na wnaf', dim weiren bigog hefo arwydd arni'n atgoffa pobol o'u llwon priodas. Weithiau does yna ddim byd heblaw unigrwydd ac ansicrwydd. Weithiau does yna ddim byd heblaw chwant. Ac weithiau mae yna rywbeth annisgwyl yn digwydd, dim ond rhywbeth bach, fel y blocyn coed hwnnw sy'n disgyn yn sydyn yn is i lawr i'r grât ar ôl bod yn mudlosgi am oriau ac yn rhyddhau ambell wreichionen. Dydi o'n ddim byd ac eto mae o'n ddigon i ddeffro dyn o'i gwsg llwynog a pheri iddo syllu.

Dyna ddigwyddodd hefo Non. Rhyddhawyd y gwreichion pan gerddodd i mewn i fy swyddfa am bedwar o'r gloch ryw bnawn Gwener, gwallt melyn wedi'i wthio tu ôl i glust fechan fach, clustdlysau aur yn dal y golau. Doedd hi ddim i fod i gyrraedd am hanner awr arall.

'Helô,' meddai. 'Fi ydi Non Preis. Dwi'n gwybod fy mod i'n gynnar ond . . .'

Sefais yno yn llewys fy nghrys yn sylwi pa mor debyg i las gwas y neidr oedd gwydr y drws wrth i'r haul hwyr luchio'i sbarion i'w gyfeiriad. Roedd hi'n gwisgo siaced fach siwgwraidd o binc. Dwi'n ei chofio hi hyd heddiw, botymau mawr fel da-da crynion arni. Ysgydwais ei llaw. Dim ond cwrteisi. Arferiad. Roedd honno'n fechan hefyd. Llaw fach wen, oer. Wedyn digwyddodd rhywbeth na fydd yn digwydd fel arfer pan fydda i'n cyfarfod cleient am y tro cyntaf: sylwais ar ei llygaid hi. Doedden nhw ddim yn wyrdd nac yn las ac eto roedden nhw'n wyrdd ac yn las ar yr un pryd, môr hydref a brychni haul arno. Dylwn i fod wedi cynnig sedd iddi'n syth, panad hyd yn oed, ond fe'm cefais fy hun yn sefyll yno fel delw ac yn hel meddyliau am fôr-forynion. Roedd y gwydr-gwas-y-neidr yn symudliw a'i adenydd yn hofran.

'Dwi'n gwybod fy mod i'n boen,' meddai wedyn. 'Cymryd eich amser fel hyn mor hwyr ar bnawn Gwener . . .'

Roedd hi'n fy nhynnu i i'w llygaid lliw'r môr a'r gorau y medrwn i ei ddweud oedd:

'Dim probs. Yma bob dydd tan bump.'

Mi siaradon ni o hyd am y diwrnod hwnnw, Non a fi. Y diwrnod y rhyddhawyd y gwreichion. Y diwrnod y daeth hi ataf fi oherwydd fod arni angen morgais i brynu tŷ. Y diwrnod y cafodd hi gariad a fyddai'n ymweld â hi yn y tŷ hwnnw, yn dod â blodau iddi, hyd yn oed yn treulio noson yno hefo hi pan fyddai ganddo esgus i fod oddi cartref. Teimlodd hithau'r gwreichion hefyd, meddai. Cemeg roedd hi'n ei alw fo. Fyddai hi byth wedi gallu cyfaddef wrth neb arall, meddai, fod ganddi enw canol mor embarasing. Dyna faint roedd hi'n gallu ymddiried yno' i. Finna'n ei hatgoffa hi mai fi oedd ei chynghorydd ariannol hi a bod ei henw hi'n llawn ar y copi o'r datganiad banc roedd hi wedi gorfod ei ddangos i mi p'run bynnag. Na, dwyt ti'm yn dallt, meddai hi wedyn. Mi fedra i ddweud pethau wrthat ti na fedra i mo'u hymddiried yn neb arall. Mae o'n teimlo'n iawn. Felly wnes i ddim dadlau, dim ond ei gymryd o fel teyrnged. Compliment. Teimlo bod cael ei dal yn fy mreichiau'r tro hwnnw a phob tro arall yn gompliment hefyd.

Roedd hi fy isio fi. Yn fy ngharu i. Roedd o yn y llygaid 'na. Roeddwn innau'n ei charu hithau hefyd. Wrth gwrs fy mod i. Roeddwn i wedi syrthio dros fy mhen a 'nghlustiau amdani. A dyna oedd yn cymhlethu pethau. Roedd hi'n cynnig i mi'r holl bethau roedd Meriel wedi eu lluchio o'r neilltu, ei hagosrwydd, persawr ei gwallt, y teimlad hwnnw fod arni angen cael ei charu gen i.

Dwi'n cofio'n union pa ddyddiad oedd hi pan arhosais i dros nos hefo Non am y tro cyntaf. Mehefin yr unfed ar hugain. Dydd hira'r flwyddyn. Diwrnod sbesial oherwydd yr holl olau dydd hwyr hwnnw. Mi agoron ni botel o win a gwylio ffilm drist a lot o olygfeydd ynddi hefo eira ynddyn nhw. Mi ddaeth y cyfan â ni'n nes fyth at ein gilydd – eira ym Mehefin. Gwnaeth hynny'r cyfan yn fwy dwys, rhywsut, fel pe bai'r eira ar y sgrin wedi'n hynysu ni ar y soffa honno yn ein byd bach unigryw ein hunain. Rhoddodd Non ei phen ar fy ysgwydd a gwyddai'r ddau ohonom y byddwn i ymhen ychydig yn tynnu amdani'n araf ac yn cusanu pob modfedd ohoni. Y sicrwydd hwnnw oedd ar goll yn fy mhriodas i bellach. Ar goll mor fuan. Does yna ddim byd sy'n fwy cyffrous i ddyn na gwybod bod y ferch yn ei freichiau'n ysu amdano.

Dwi'n cofio rhyw banig sydyn yn fy nharo i wrth feddwl fy mod i wedi fy nghlymu fy hun mewn priodas i'r ferch anghywir. Roedd gen i gywilydd wrth feddwl felly. Roedd gen i gywilydd hefyd dal Non yn fy mreichiau a dweud wrthi fy mod i'n ei charu hi tra oedd y noson olau dwyllodrus, dryloyw'n gorwedd dros ei bronnau gwynion. Dwi'n dy garu di, Non. A hithau'r eiliad honno'n cydio yno' i'n dynn fel pe bai arni ofn i fysedd y cysgodion ddwyn fy ngeiriau i.

Aeth y berthynas rhwng Non a fi ymlaen am bron i flwyddyn arall. Roeddwn i'n byw dau fywyd ac roedd y straen yn dechrau dweud arna i. Oriau cinio yng ngwely fy nghariad a ddim isio iddyn nhw ddod i ben. Oriau'r nos yng ngwely fy ngwraig a gorwedd yno'n dehongli'r tywyllwch a phob munud fel tragwyddoldeb. Roedd fy nghalon i gan Non a hefo hi roedd arna i isio bod. Ac un pnawn eisteddodd i fyny yn y gwely a dal y gynfas wen dros ei bronnau.

'Mi ddylan ni wneud rhywbeth,' meddai, 'a hithau bron yn ddiwrnod hira'r flwyddyn eto. Dathlu. Gwylio ffilm hefo eira ynddi hi.'

Dywedodd hynny'n smala ond roedd y môr yn ei llygaid hi'n fwy o lwyd nag o wyrdd neu las. Rhyw liw tebyg i hiraeth. Roedd gorfod mynd fel hyn a'i gadael hi o hyd yn fy lladd i. Dawnsiodd gwelwder y pnawn drwy'i gwallt hi a gwneud i mi gofio am yr haul hwyr yn dynwared dawns gwas y neidr trwy'r gwydr yn nrws fy swyddfa i'r holl fisoedd yn ôl. Roedd ei noethni hi mor fregus a gwyn ac fe'i daliais hi'n dynn. Roedd bywyd yn rhy fyr. Byddai'n rhaid i mi gyfaddef wrth Meriel a rhoi diwedd ar y twyll 'ma.

Roedd y daith adra'r noson honno'n hunllef. Traffig. Tagfeydd. Pe bawn i'n rhy hwyr yn cyrraedd yn ôl byddai gen i waith egluro. I goroni'r cyfan aeth rhyw lembo oedd yn gyrru tu ôl i mi i mewn i'r bympar. Doedd o'n ddim byd mawr, ddim hyd yn oed yn dolc go iawn, dim ond crafiad ar y paent, ond roedd yn ddigon i wneud i mi gerdded i mewn i'r tŷ hefo wyneb tin a rhoi clep ar y drws tu ôl i mi.

'Paid â gwylltio cymaint,' meddai Meriel pan ddywedais i wrthi am y car. 'Mi fasa wedi medru bod yn waeth o lawer.'

Roedd hi'n rhy resymol a finna'n bytheirio. Yn gall a thawel. Yn gwneud i mi ymddangos fel petawn i'n wallgofddyn. Amynedd blydi athrawes. Y munud hwnnw teimlais ei goddefgarwch tuag at bawb a phopeth yn rhygnu ar fy nerfau. Roedd hi'n rhy neis ac yn sicr yn rhy hawdd ei thwyllo.

'A ddaru neb frifo, naddo?' meddai hi wedyn.

Roedd hynny'n ddigon. Fe'm cefais fy hun yn ei beio hi am bob dim, yn ei chasáu am sefyll yno'n trio fy nghysuro i fel rhyw fodryb glên a finna newydd ddod o freichiau merch arall.

'Wel, naddo, siŵr Dduw! Wrth gwrs na ddaru neb frifo, ond nid dyna'r pwynt, naci? Rho'r gorau i siarad mor blydi gwirion bob tro ti'n agor dy geg.'

Roeddwn i'n fastad blin ond doedd gen i mo'r help ac roedd yna ogla coginio'n dod o'r gegin, ogla cartrefol, llysieuol, cynnes yn gwneud i mi fod isio chwydu, yn gwneud i mi deimlo'n fwy euog oherwydd ei bod hi wedi gwneud ymdrech i fy nghroesawu i adra.

'Mae'n ddrwg gen i dy fod ti'n teimlo fel'na,' meddai.

A'r crac yn ei llais a barodd i mi edrych arni'n iawn. Roedd ei llygaid hi'n gleisiau. Yn yr eiliad honno newidiodd popeth.

'Meriel?'

'Mae Dad yn yr ysbyty,' meddai. 'Strôc.'

Roedd ei meinder esgyrnog mor wahanol i feddalwch Non. Fedrwn i ddim credu nad oeddwn i wedi sylwi faint o bwysau roedd hi wedi'i golli nes i mi sylweddoli nad oeddwn i wedi'i chofleidio hi ers misoedd. Edrychodd hithau i fyw fy llygaid fel pe bai hi'n darllen yr un neges ynddyn nhw. Es i'n racs wedyn. Roedd meddwl am fy nhad-yng-nghyfraith yn ddifrifol wael wedi fy sadio i, dod â fi at fy nghoed. Yr hen Huw. Un o fil. Sylweddolais gyda phang faint o feddwl oedd gen i ohono.

'Cradur,' medda fi. 'Mae o a fi wedi bod yn dipyn o fêts erioed.'

'Dwi'n gwybod,' meddai hi, ac yna: 'Dwyt ti ddim yn mynd i 'ngadael i, nag wyt, Len?'

Daliodd y geiriau hynny ar fy ngwynt. Roedd hi fel pe bai hi newydd roi dwrn yn fy stumog i. Wnes i ddim holi a oedd hi'n gwybod am yr affêr na gofyn a oedd hi hyd yn oed yn amau rhywbeth. Daliais hi'n dynnach rhag iddi weld faint o fraw roedd ei geiriau wedi'i achosi i mi. Anadlu'i phersawr gwahanol, cyfarwydd. A gwybod yn fy nghalon na fyddwn i byth yn cofleidio Non eto.

Daeth yr hen foi drwyddi ac yn fuan wedyn mi symudon ni o'r ardal ac ymgartrefu'n nes at rieni Meriel. Dyna'r unig beth, o edrych yn ôl, a fyddai wedi achub fy mhriodas i. Cyflogais rywun i ofalu am y swyddfa ac agor cangen arall yn ymyl lle'r oedden ni'n byw. Teflais fy hun i'r gwaith o sefydlu swyddfa newydd a chael cysur yn fy mhrysurdeb. Ymhen y flwyddyn rhoddodd Meriel enedigaeth i fab. Bellach roedden ni'n deulu. Hi a fi a Carwyn. Roedd gen i gyfrifoldebau amgenach rŵan; roedd y cyfan yn ddi-droi'n-ôl, yn ddi-edrych-yn-ôl. Doedd dim amdani ond gadael y gorffennol yn ei focs a symud ymlaen.

Gweithiais yn galed ac fel arfer, dyna oedd fy achubiaeth. A rhywsut neu'i gilydd aeth pedair blynedd ar ddeg heibio heb i mi orfod sylwi rhyw lawer arnyn nhw. Mae'n wir nad oeddwn i o gwmpas adra rhyw lawer pan oedd fy mab yn tyfu i fyny ond roedd yr adra hwnnw'n foethus a chysurus. Er mawr ryddhad iddi doedd dim rhaid i Meriel fynd allan i weithio ar ôl geni Carwyn. Roedd hi'n rhy addfwyn i fod yn athrawes uwchradd beth bynnag, yn fy meddwl i. Felly defnyddiodd yr addfwynder hwnnw i gyd wrth fagu'i mab ei hun. Hi oedd adra, yno bob amser, ac o ganlyniad daeth Carwyn yn hogyn ei fam. O edrych yn ôl dros y blynyddoedd cynnar hynny mae'n debyg nad oeddwn i'n ymddangos yn llawer mwy na rhyw lojar caredig mewn siwt iddo, yr un a dalai am deledyddion sgrin plasma ac a gyflenwai'r holl deganau cyfrifiadurol a thechnolegol a'i cadwai yntau yn ei ystafell fel twrch daear diddig am oriau. Mae'n debyg felly nad oedd gen i neb i'w feio ond fi fy hun am agwedd yr hogyn tuag ata i. Mi ddylwn i, o bawb, fod wedi deall nad ydi tad hael ddim o angenrheidrwydd yn dad da bob amser. Roedd yn rhaid i mi gyfaddef bod Meriel yn iawn pan ddywedodd hi fod angen gweithio ar y berthynas rhwng Carwyn a fi. Roeddwn i wedi dilyn yr hyn a dybiwn oedd y llwybr hawsaf ar hyd y blynyddoedd – prynu pethau iddo er mwyn i mi gael llonydd i ganolbwyntio ar fy ngwaith. Roedd hi'n hen bryd i mi newid tac, a chan nad oedd yna iard goed yn y cyffiniau lle gallwn i ei anfon o i weithio am deirpunt yr wythnos er mwyn talu am ei gytundeb ffôn ei hun, mi ddes i'r penderfyniad y byddai rhyw wyliau bach lle gallen ni dreulio amser hefo'n gilydd yn llwyddo i hitio'r sbot.

Meriel awgrymodd y penwythnos i ffwrdd i fod yn deg. Nid fy syniad i'n hollol oedd mynd yn ôl i'n hen ardal, ond roedd y swyddfa gyntaf honno'n cael ei hymestyn ac roedd gen i ddiddordeb mewn gweld sut oedd yr adeiladwyr yn dod ymlaen â'r gwaith. Roedd gan Meriel fodryb oedrannus a oedd yn swnian arni byth a hefyd i fynd i edrych amdani, felly roedd y cyfan yn gwneud synnwyr – cyfuno popeth a chael cwpwl o ddyddiau ymlaciol fel teulu, y tri ohonon ni. Doedd Carwyn ddim yn cîn ond y tro hwn chafodd o ddim dewis. Doedd o ddim yn cael bod adra ar ei ben ei hun a doedd dim dadlau i fod. Ei fam ddywedodd hynny wrtho, nid y fi. Roedd o'n dawedog yn y car ond doedd hynny'n ddim syndod a'r clustffonau felltith 'na yn ei ben o trwy'r amser. Dwi'n caru fy mab â'm holl galon, ond mae'n gen i gywilydd cyfaddef fy mod i'n eitha nerfus bryd hynny wrth feddwl y byddai'n rhaid i mi dreulio amser ar fy mhen fy hun hefo fo pan âi Meriel i dŷ Anti Sephora.

I fod yn onest, doedd y daith o amgylch y swyddfa ddim cynddrwg. Er nad oedd gan Carwyn fawr o ddiddordeb yn y gwaith adeiladu ar yr estyniad, cafodd ei swyno gan ambell gyfrifiadur yn y swyddfa ac yno y bu'n chwarae gemau hefo'i gerddoriaeth yn ei glustiau tra es i o gwmpas y safle. Un o'r dynion yn y fan honno, wedi iddo ddeall pa berwyl roeddwn i arno, a awgrymodd y dylen ni fynd i weld y gystadleuaeth bysgota ym Mron Idris. Roedd gen i go' bachgen o fynd mewn cwch i sgota ar Lyn Idris, clamp o lyn a allai'n hawdd fod wedi cogio bod yn gefnfor ar ddiwrnod stormus pan fyddai'r gwynt o'r dwyrain yn ei chwipio fo'n donnau. Yn ôl pob sôn roedd y lle wedi newid yn syfrdanol dros y blynyddoedd dan ofal dyn dŵad o'r enw Chris Clay, Canedian hefo gweledigaeth a llond trol o ddoleri. Cododd westy yno, trin y tir a'r llyn a chreu rhyw ganolfan bysgota anhygoel o boblogaidd lle cynhelid sawl cystadleuaeth o bwys. Roedd y lle hyd yn oed wedi cael mensh yn y cylchgrawn *Coarse Fishing*, yn ôl Meic yr adeiladwr. Doedd hynny, na'r ffaith fod yna bysgotwr enwog o'r enw Matt Hayes wedi dod yno i agor y lle, yn golygu rhyw lawer i leygwr fel fi, ond i Meic, a oedd yn honni bod yn dipyn o giamstar arni ei hun, roedd yn arwydd go lew fod gan Bysgodfa Bron Idris dipyn o giwdos ymysg hogia'r 'big carp'.

'Mi faswn i yno fy hun heddiw oni bai fy mod i'n gweithio yn fama,' meddai, fel pe bai o'n disgwyl i mi ddweud wrtho fo am gadw'i dŵls y munud hwnnw a mynd adra i nôl ei wialen.

Cododd Carwyn ei ysgwyddau yn ei ffordd frwd arferol pan ailadroddais yr hyn a ddywedodd Meic. Lle gwych i dad a mab dreulio cwpwl o oriau. Roedd y gystadleuaeth bron ar ben pan gyrhaeddon ni ond roedd hi'n un safonol – cystadleuaeth rhwng timau ieuenctid Cymru a'r Alban. Roedd yna bobol yn gwylio ond dim llawer – roedd hi'n amlwg mai aelodau teulu neu gefnogwyr wedi teithio yno hefo'r timau oedd y rhan fwyaf ohonyn nhw. Roedd yna rywun yn sefyll o gwmpas neu tu ôl i bron pawb o'r cystadleuwyr ond roedd yna un bachgen ar ei ben ei hun. Eisteddai yno ar ei focs yn trin y polyn pysgota fel hen law. Daliodd dri sgodyn braf, un ar ôl y llall, yn y chwarter awr neu lai y buon ni'n sefyll yn ei wylio.

'Ti'n cael hwyl arni,' medda fi.

'Go lew,' meddai yntau.

Thynnodd o mo'i sylw oddi ar y llyn ac atebodd heb edrych arna i. Nid oherwydd diffyg cwrteisi ar ei ran ond oherwydd y ffaith amlwg ei fod o'n canolbwyntio. Ond hyd yn oed heb weld ei wyneb yn iawn roedd yna rywbeth yn od o gyfarwydd yn ei osgo, yn y ffordd roedd un ysgwydd yn is na'r llall wrth iddo eistedd ar ei focs o sedd yn dal y polyn pysgota ar ei glun. Pan dynnodd ei gap ag un llaw a chwalu'i fysedd trwy'i wallt cyn ei sodro'n ôl ar ei ben, sylweddolais yn sydyn fod y bachgen diarth 'ma, y bachgen main pryd golau a oedd yn ymddwyn yn llawer aeddfetach na'i oed, yn fy atgoffa o fy nhad fy hun. Rhoddodd y sylweddoliad gryn ysgytwad i mi o'r math mae rhywun yn naturiol yn ei gael wrth daro ar ddieithryn sy'n edrych yr un ffunud ag aelod o'i deulu neu'i gydnabod. Welais i erioed mo fy nhad yn eistedd ar focs pysgota fel hyn ond fe'i gwelais sawl tro a'i gefn ataf yn eistedd ar y fainc yn ei weithdy'n trwsio rhywbeth, yn dal rhyw gelfigyn neu'i gilydd ar ei lin ac yn canolbwyntio. Roedd osgo'r ddau yn union yr un fath – yr un siâp, yr un stumiau. Ond roedd yna rywbeth arall hefyd ynglŷn â'r bachgen na fedrwn i ddim cweit roi fy mys arno, rhyw olwg debyg i rywun arall yn yr ên fain ac esgyrn ei fochau, ond ni allwn yn fy myw â meddwl pwy arall a welwn ynddo.

Canodd cloch debyg i larwm yn rhywle a'i sŵn yn cario dros y llyn. Gwelais mai dyna'r arwydd fod y gystadleuaeth ar ben gan fod y polion yn cael eu tynnu o'r llyn bron yn syth, fel pe bai eu perchnogion i gyd yn parchu rhyw reol sanctaidd nad oedd fiw anufuddhau iddi. Tybiais rŵan ei bod hi'n iawn i dynnu sgwrs. Pan drois er mwyn cynnwys Carwyn ynddi gwelais ei fod eisoes wedi mynd a 'ngadael i. Dewisais beidio meddwl am y ffaith ei bod hi'n well ganddo eistedd yn y car ar ei ben ei hun na sefyll hefo fi. Roedd y bachgen eisoes yn codi oddi ar ei sedd.

'Edrych yn debyg fod pawb wedi'n gadael ni ar ein pennau'n hunain,' medda fi. Gwnaeth yr hogyn yr un ystum eto hefo'i gap, ei dynnu i chwalu'i wallt a'i ailosod ar ei ben.

'Doedd Mam ddim yn medru dod hefo fi heddiw. Gweithio.'

'Dy fam?'

Gwenodd y bachgen.

'Ia, mae hi'n cŵl. Ma'r hogia i gyd yn fêts hefo hi. Mae hi'n dod â bechdana i ni. Sŵp weithia. Hi ddechreuodd ddod â fi i'r cystadlaethau 'ma. Mi fydd hi'n aros i wylio fel arfer ond roedd hi'n gweithio heddiw. Dim ond fy nanfon a fy nôl i wneith hi. A chario'r gêr i'r car!' Dywedodd hyn â gwên ddireidus ac roedd hi'n amlwg ei fod o'n gweld fy mod i'n pendroni a ddylwn i gredu'r hyn a ddywedai ai peidio gan iddo ychwanegu: 'Go iawn rŵan. Mae hi rêl un o'r hogia. Fel y dywedais i, mae hi'n cŵl.' Doedd yna ddim sôn am dad.

A dyna pryd digwyddodd o, tra fy mod i'n sefyll yno'n dychmygu rhyw gawres hefo cyhyrau fel wyau gwyddau'n landio i gario popeth ar ei chefn fel Rhiannon gynt, chwa o wynt dieflig yn chwythu'r polyn o dan fy nhroed wrth i mi gymryd cam yn ôl. Er mai un rhan o'r polyn oedd o, doedd hynny'n fawr o gysur i mi wrth i mi deimlo'r glec. Wyddwn i ddim lle i ddechrau ymddiheuro.

'Dala i am un newydd,' medda fi'n syth tra cuddiodd yntau'i siom yn ddewr a dweud:

'Lwcus bod y gystadleuaeth drosodd.'

'Wir, mi dala i am bolyn newydd . . .'

'Does dim angen polyn cyfan,' meddai. 'Dim ond un rhan sydd wedi cracio. Mae o'n digwydd o hyd. Petha bregus ydyn nhw.'

'Ond digon drud serch hynny, dwi'n siŵr.'

'Gewch chi drafod hynny efo Mam,' meddai. 'Hi dalodd am y polyn. A ma' hi newydd gyrraedd rŵan.'

Amneidiodd i gyfeiriad car Passat arian a welsai ddyddiau gwell yn tynnu i mewn i'r llecyn parcio nid nepell o'r lle'r oedden ni'n sefyll. Er gwaetha'i oed tybiais fod digon o le yn ei fŵt i gario wardrob pe bai angen. Ar ôl gweld maint y car a chael yr argraff ar ôl disgrifiad ei mab ohoni bod ei berchennog dros chwe throedfedd ac yn bymtheg stôn o leiaf, rhaid cyfaddef, a finna newydd sathru polyn pysgota drud yr oedd hi wedi ei brynu, fy mod i'n teimlo dwtsh yn nerfus.

Fyddai dim byd wedi gallu fy mharatoi ar gyfer yr hyn a ddigwyddodd nesaf, ond pan edrychais i'n ôl wedyn sylweddolais fod y cliwiau yno i gyd. Edrychai ei phum troedfedd a dwy fodfedd yn fyrrach na'r hyn a gofiwn ond doedd hwn ddim yn lle ar gyfer gwisgo sodlau. Roedd ei gwallt yn fyrrach hefyd ond yn felyn o hyd, cudyn wedi'i dynnu tu ôl i'w chlust i ddangos clustdlws bach aur.

'Non?'

Parodd ei syndod hithau iddi welwi a sefyll yn stond.

'Ydach chi'ch dau'n nabod eich gilydd?' Ond doedd y fath gyd-ddigwyddiad ddim yn ddigon pwysig i'r bachgen aros i ddisgwyl ateb chwaith. Prysurodd at y lleill i ymuno yn y cyffro o bwyso'r pysgod yn y rhwydi.

'Amser maith, Non,' medda fi.

'Pedair blynedd ar ddeg, Len, i fod yn fanwl gywir,' meddai hithau. Llygaid nad oedden nhw'n wyrdd nac yn las. Llygaid a lliw hiraeth arnyn nhw.

Welais i mo'r ergyd yn ei geiriau hi. Nid yn syth.

'Mae arna i ofn fy mod i wedi sefyll ar ei bolyn o. Mi ddywedodd o mai hefo chdi y dylwn i drafod pris rhan newydd.' Ac roedd yn rhaid i mi gael gofyn. 'Dim ond chdi a fo sy 'na, ia?'

'Edrych yn bur debyg, tydi?' meddai hi'n llyfn. Yn rhy lyfn o'r hanner. 'Ond mae yna lot o'i dad ynddo fo, cofia. Hynny yw, os ti'n gwbod am be' wyt ti'n chwilio.'

Ac yn yr eiliad honno disgynnodd y darnau i'w lle. Roedd hi fel pe bai'r blynyddoedd newydd chwalu'n llwch o flaen fy llygaid, ac fe'i gwelwn hi eto'n noeth yn y gwely gwyn y tro olaf hwnnw a chysgodion y pnawn yn datod o'i chwmpas fel gwnwisg yn llithro i'r llawr.

'Wyddwn i ddim amdano fo, Non.'

'Na wyddet.' Edrychodd ar y waled yr oeddwn wedi'i hestyn o fy mhoced i dalu am y polyn ac ychwanegu gyda rhywbeth tebyg i dosturi yn ei llais: 'Cadw dy bres, Len. Dwi wedi llwyddo i dalu am bob dim arall roedd o'i angen ar hyd y blynyddoedd. Fydd fforddio talu am damaid o bolyn pysgota ddim yn broblem, dwi'n siŵr.'

'Mae'n ddrwg gen i, Non.'

Plymiodd ei dwylo'n ddwfn i'w phocedi.

'Mae damweiniau'n digwydd,' meddai. 'Yn enwedig hefo pethau mor fregus.'

Fel carbon ffeibr a phlisgyn wy a chalonnau. Maen nhw'n sibrwd fel cregyn malwod wrth i chi sathru arnyn nhw. Trodd Non oddi wrtha i a cherdded i gyfeiriad y pysgotwyr ar lan y llyn. Anelais innau'n ôl am y car lle'r eisteddai fy mab arall a'i glustffonau yn ei ben wedi ymgolli yng nghuriadau swnllyd ei fyd bach ei hun.

Rhannu Ambarél

*'While still I may, I write for you
The love I lived, the dream I knew.'*
W. B. Yeats

Dwi ofn sgwennu. Ofn yr unigrwydd. Mae o'n cau amdana i fel nos ar draeth. Mae hwnnw'n ddüwch sy'n medru dy fygu di; fedri di ddim anadlu'n iawn nes gweli di ben pìn o olau llong yn bell i ffwrdd a chael llwchyn o ryddhad o wbod mai fanna yn rwla mae'r gorwel i fod. Blaen nodwydd o oleuni ydi o ond mae o bron â bod yn ddigon. Ti'n gwbod nad golau seren ydi o. Mae o'n rhy isel, yn rhy farwaidd. Nid felly fasa seren. Na, mi fasa pigau honno'n wincio fel gwinadd newydd gael eu paentio. Lliw'r aur yn newydd arnyn nhw. Lliw parti. Lliw Dolig. Lliw byw.

Ac wrth feddwl am hynny dwi'n cofio. Achos mai dyna ydi sgwennu. Cofio. Cofio pethau hefo chdi ynddyn nhw ac mae hynny'n artaith ac yn gysur ar yr un pryd fel gwasgu llafn rasal i gledr fy llaw. Wedyn dwi'n chwarae cofio nes ei fod o fatha gêm. Un gair, un atgof, un deigryn yn arwain yn anorfod at y nesa. Tywyllwch. Traeth. Llong. Seren gwinadd aur.

Parti Dolig. Ein parti Dolig cynta ni. Gwinadd aur yn matsio'r aur oedd ar fy ffrog.

'Ti'n edrach yn styning,' medda chdi. A dyma ni'n dau'n sbio ar ein gilydd yn y drych hir cyn i ti ofyn y cwestiwn hollbwysig hwnnw: 'Be' wna i? Gwisgo 'nghrys tu mewn i'n jîns 'ta'i adael o tu allan?'

Cofio'r pethau bach. Y pethau bychain dibwys pwysicach na dim. Fel rhannu ambarél. Mae 'na agosrwydd fel cusan mewn peth felly. Feddyliaist ti am hynny erioed? Am goreograffi'r holl weithred? Mae angen i ddau fod mewn sync i rannu ambarél yn iawn. O achos bod partnar ambarél fel partnar mewn dawns. Os ydi un yn dalach na'r llall mae 'na waith meddwl, gwaith ystyried. Gwaith codi a gostwng a mesur symudiadau'r naill a'r llall gam wrth gam. Ac os mai chdi ydi'r un byr mae'n hanfodol dy fod ti'n parchu pa mor anodd ydi hi i'r un sy'n dal yr ambarél dros eich pennau chi'ch dau. Rhaid i ti symud hefo fo, codi ar flaenau dy draed weithiau nes dalltith yntau o'r diwedd bod rhaid iddo fo blygu dipyn bach, dŵad yn nes atat ti. A dyna lle mae hi'n beryg: rhaid i ddau sy'n rhannu ambarél dynnu'n glòs at ei gilydd er mwyn i'r holl beth weithio'n iawn.

Y tro cynta i ti ddal ambarél dros fy mhen i roedd y glaw'n gwneud sŵn fel papur sidan. Dyna'r tro cynta erioed i mi dy gyffwrdd di'n iawn a theimlo dy galon di'n curo drwy frethyn dy grys. Y tro cynta i ni fod yn agos heb garu go iawn. Syrthiais amdanat o dan yr ambarél honno. O dan awyr dyner, lwyd; awyr-blu-colomen a'i bol yn grwn. Mae rhannu ambarél fel yfed o'r un gwydryn. A dyna'n union ddaru ni'r noson ddu bitsh honno pan ddreifiaist ti'r car i lawr ar y

tywod. Ninna'n poeni nad oedden ni'n gwbod a oedd
y llanw ar drai neu beidio. Poeni ei bod hi'n rhy
dywyll i ni allu gweld dim byd ac yna mi welaist
ti olau'r llong. Blaen nodwydd. Pen pìn. A dyna'r
gwahaniaeth weithiau rhwng byw a marw.

Mi oeddat ti wastad yn deud mai chdi fyddai'n
marw'n gynta. Rhesymeg ydi o, medda chdi. Trefn
naturiol.

'Mae gen i ddeng mlynedd arnat ti, Cat.'

'Be' ydi deng mlynedd?' medda finna bob tro. Yr un
ddadl o hyd ac o hyd. 'Mi fedrwn inna gael fy nharo
gan lorri fory nesa a mynd o dy flaen di whap.'

Ond chdi oedd yn iawn. Doedd o'n ddim oll i'w
wneud ag oedran chwaith. Roeddat ti'n rong ar y pen
hwnnw. Dydi cansar ddim yn ffysi faint ydi oed neb.
Wyddost ti, mi oedd y ffaith dy fod ti'n hŷn yn rhoi'r
cysur rhyfedda i mi. Fedrwn i ddim meddwl amdanat
ti'n marw byth. Roedd fy nychymyg i'n gwrthod hyd
yn oed amgyffred y fath beth. I mi roeddet ti'n gry, yn
iach, yn gwbl anfeidrol. Ac os na fasat ti'n marw
faswn inna ddim chwaith. Roedd o'n syniad lloerig,
cwbl hurt ac amhosib, ond roedd o'n gwneud i mi
deimlo'n saff. Na, yn fwy na hynny, yn anorchfygol.
Tra dy fod ti hefo fi mi fedrwn i wneud unrhyw beth.
Ac mi wnes i. Mi wnaethon ni'n do? Pob matha o
betha. Syrffio. Dysgu hwylio. Hyd yn oed mentro
gyrru rownd trac mewn car rasio. Ond nid pethau
felly oedd yr her go iawn. Dwi'n gweld hynny rŵan.
Erbyn heddiw mi fasa'n haws gen i wynebu'r Niagara
mewn canŵ na threulio gweddill fy mywyd hebddat
ti.

Dwi wedi cadw'r petha rhyfedda ar dy ôl di, cofia.

O, nid cardia a llythyra a llunia dwi'n eu golygu rŵan chwaith. Petha gwirionach, odiach, fel y fflyff a godais i oddi ar y carped, hwnnw ddaeth oddi ar dy sanau newydd di'r tro cynta i ti eu gwisgo nhw. Ei godi o bob tamaid glas a'i gadw fo yn fy mocs clustdlysau fel dynas ar fin drysu. Fel y botel blastig yr yfaist ohoni. Potel ddŵr. Does yna neb yn golchi poteli dŵr cyn eu lluchio, nag oes? Nid fel poteli llefrith neu botiau jam. Roedd hi'n haws wedyn ymbalfalu yn y bocs ailgylchu nes cael hyd iddi. Nes cael hyd i'w cheg hi lle cyffyrddodd dy wefus. Ei dal hi'n dynn fel pe bawn i wedi cael hyd i'r Greal. Yfaist o hon. Fel yr yfaist ohono' i.

Dwi'n cofio'r diwrnod y symudon ni at ein gilydd i fyw. Ogla'r carpedi newydd. Ordro crât o win. Chditha'n cario bocsys yn y cap gweu coch hwnnw oedd yn ffefryn gen ti, hithau'n fore barugog a dy anadl di'n gylchoedd. Gwres y gegin yn ein taro ni, coffi ffres ond gorfod ei gymryd o'n ddu am dy fod ti wedi anghofio dod â llefrith o'r siop er mynd yno'n unswydd i'w nôl. Ond mi ddoist ti â blodau i mi. Dwsin o wyau a phapur newydd a bwnsiad o rosys bach gwynion, tyn. Bwyta'r wyau heb fara ac yfed coffi heb lefrith ond roedd y cyfan yn berffaith am mai dyna ydi cariad: amherffeithrwydd a chwerthin a rhyw a rhosys mewn carton sudd oren gwag am nad oedd gynnon ni jwg i'w dal nhw. Gobaith oedd peth felly. Meddwi ar fyw. Rhoi ein ffydd mewn dyfodol na chadwodd o mo'i ran o'r fargen.

Dwi'n cael cysur o'r atgofion hynny. Roeddwn i'n dal i allu cyffwrdd yn rhai ohonyn nhw, eu dal nhw yn fy nwylo fatha'r cap gweu coch y gwisgaist ti gymaint arno. Doedd arna i ddim isio'i olchi o oherwydd fod dy ogla di arno. Cedwais bopeth, gwrthod cael gwared ar ddim. Dim ond cwta chwe mis oedd wedi mynd heibio pan landiodd Eirlys a dechrau sôn am glirio cypyrddau a symud ymlaen. Fy chwaer fawr fusneslyd, awdurdodol yn meddwl fel arfer mai hi a wyddai be' oedd ora i bawb. Meddyliaf o hyd fel byddet ti'n ei disgrifio hi: *Mae'i chalon hi yn y lle iawn, Cat, dim ond ei bod hi'n cadw'i synnwyr cyffredin yn ei phoced tin.* Mae gen i hiraeth am y ffordd grafog honno oedd gen ti o ddweud pethau, y ffordd roeddet ti'n gallu gweld doniolwch mewn petha diddim fel yr adeg y suddodd fy mhwdin bara i fel y *Titanic* y noson roedden ni wedi gwadd ffrindiau draw i swper – finna'n crio mewn rhwyst-redigaeth a chditha'n crio chwerthin nes oedd y dagrau'n powlio.

'Ma' gin ti ormod o nialwch yma, Catrin. Dos i nôl bagia duon i ni gael rhoi dipyn o'r dillad 'ma i'r siop elusen. Dydyn nhw'n gwneud dim daioni i neb yn hongian yn fama fel hyn.'

'Gad lonydd iddyn nhw, Eirlys.'

'Ty'd 'laen, Cat. Mi helpa i di. Dydi gweld ei ddillad o bob dydd ymysg dy rai di'n gwneud dim byd ond codi'r felan arnat ti. Cliria nhw rŵan. Eu rhoi nhw at achos da. Dyna fasa Owain yn ei ddeud.'

Teimlais ysfa sydyn i roi clustan iddi'r eiliad y dywedodd hi dy enw di. Safai yno fel rhyw hen wenynen fawr dew yng nghanol ein petha ni a'r prysurdeb yn suo ohoni. Roedd hi'n amlwg ei bod hi'n credu'i bod hi'n garedig ond fedrwn i ddim dal:

'A sut ffwc gwyddost ti be' fasa Ows yn ei ddeud?'

Beth bynnag ydi Eirlys fy chwaer o ran ei thuedd i fod yn orawyddus i reoli pawb a phopeth, ymataliodd, chware teg iddi, rhag cega'n ôl. Pe bai hi wedi bod yn ddigon gwirion i godi i'r abwyd mi fyddai petha wedi mynd yn flerach yn gynt. Roedd hi wedi bod yn ddigon call i sylweddoli fod yna dipyn o dyndra rhyngon ni'r munud y soniodd hi am roi dy ddillad di mewn bagia duon; gallet fod wedi'i grafu o oddi ar bopeth hefo llwy a swniai'r cloc llechen ar y pared fel bom yn tician.

Ti'n gwbod na fydd Eirlys byth yn rhegi, dim ond yn gwneud yr hen geg twll-din-iâr 'na pan fydd hi'n clywed pobol eraill wrthi. Dyna a wnaeth hi'r tro hwn, cymryd gwynt fel pe bai'n ei pharatoi'i hun i hitio *top C*, wedyn ailfeddwl a dweud:

'Iawn, anghofian ni 'mod i wedi sôn am y peth, 'ta. Dos di drwodd i roi dy draed i fyny am dipyn a mi wna inna jyst twtio o gwmpas rhyw fymryn i ti tra 'mod i yma, yli. Taro mop ar lawr y gegin a rhoi golch yn y peiriant.'

Er cymaint roedd hi wedi dechrau mynd ar fy nerfa i, fedrwn i yn fy nhymer flin hyd yn oed ddim dadlau hefo hynny. Roedd hi'n trio'i gora, doedd, gryduras, yn ei ffordd ei hun, hyd yn oed os oedd hynny'n golygu clowcian o gwmpas hefo dystar a mop a 'nhrin i fel pe bawn i wedi colli pob defnydd o fy mreichia'n ogystal â fy ngallu i wneud penderfyniada drosta i fy hun.

Nythais yn yr hen flanced sgotsh plod honno roedden ni'n ei chadw ar sedd gefn y car ers talwm rhag ofn i ni dorri i lawr mewn storm o eira a rhewi i farwolaeth. Honno aeth yn fobls i gyd. Ti'n cofio? Mi driaist ti'i siafio hi ryw ddiwrnod hefo'r teclyn hwnnw brynaist ti ar Amazon nes i ddannedd y peth ddechra clogio a gwneud twrw cnoi. Mi gefais gysur y munud hwnnw wrth deimlo'r patshyn oedd bron yn foel yn denau o dan fy mysedd i. O, Ows, pam ddiawl ddigwyddodd hyn i gyd i ni? Dwi dy isio di gymaint ambell waith does yna ddim byd fedra i ei wneud ond mynd hefo'r boen, cyrlio'n belen a jyst gadael iddo fo fy meddiannu i. Dim iws i mi drio'i gwffio fo. Mae o'n gymaint rhan ohono' i rŵan mae o fel rhyw hen elyn y basa gen i hiraeth ar ei ôl o, bron, pe bai o'n rhoi'r gorau i fy mhlagio i. Does gen i mo'i ofn o'n llwyr o achos ei fod o'n dod â fi'n nes atat ti.

P'run bynnag, dyna lle'r oeddwn i yn fy nghwman yn swatio yn y bobls oedd yn fy atgoffa o dy ddoniolwch di a remôt y teledu ar fraich y gadair fatha'r cwîn bî mewn cartra hen bobol, pan glywais y peiriant golchi yn rhygnu i stop. Golygai hynny fy mod i wedi bod yn pendympian yn fanno ar y soffa'n hel meddyliau am yn agos i awr oherwydd mai dyna oedd hyd seicl a sbin y golch arbennig hwnnw. Llusgais i'r gegin i weld a oedd gan Eirlys banad ar y gweill a chael braw o weld y fasged olchi'n llawn ar ganol y bwrdd. Nid y fasged ei hun roddodd sioc i mi, wrth gwrs, ond yr hyn a oedd ynddi. Dy ddillad di, Ows. Y jîns a'r siwmper oddi ar y gadair yn y llofft, y petha ola i ti eu gwisgo bron. Fedrwn i mo'u golchi nhw. Fedrwn i mo dy chwalu di ohonyn nhw, oddi arnyn nhw. Roedd yna gysur i mi o edrych arnyn nhw yno bob dydd. Mi fedrwn i bron, bron â chogio weithia nad oeddet ti ddim wedi mynd. Roedd y dillad hynny, a dy gap coch di, fel petha byw oedd yn cysgu, ac yn dy gadw di'n saff i mi rhwng eu plygion. O Dduw mawr, y cap, yn wlyb o dan weddill y golch. Dwi'n cofio rhwygo'r dillad tamp oddi ar y gwlân coch yn union fel pe bawn i'n codi crachen oddi ar friw a'i godi at fy nhrwyn. Ogla powdwr golchi oedd arno fo. Ogla lafant a sebon sent. Newidiais y powdwr oddi ar y diwrnod hwnnw am na fedrwn i ddim goddef ei bersawr o wedyn. Ogla hiraeth oedd arno fo. Ogla dy golli di'n llwyr.

Mae'n anodd disgrifio'r siom a deimlais y diwrnod y golchodd Eirlys dy ddillad di. Ond dwi'n cofio'r ffordd y collais arna i fy hun yn lân, gweiddi a lluchio platia a chicio cadeiria. Dwi'n cofio'r braw a'r dychryn yn llygaid fy chwaer. O edrych yn ôl mae'n debyg fy mod i angen y gollyngdod hwnnw. Bryd hynny daeth popeth i'r wyneb a berwi drosodd – y galar, y dicter, y golled, yr anghredinedd. Yr atgasedd tuag at y byd creulon cachu rwtsh hyll roedd yn rhaid i mi ddeffro iddo fo bob dydd fel penyd a chofio o'r newydd nad oeddet ti ddim blydi wel ynddo fo.

Pan wyt ti'n credu dy fod ti jyst â drysu hefo hiraeth mae meddwl am ddiwrnod cyfa ar ei hyd yn ormod i ti. Mae hyd yn oed mynd o awr i awr yn ymdrech ambell waith, felly rwyt ti'n rhannu'r oria'n llai eto, torri pob awr yn ei hanner, neu weithiau'n chwarteri, a'i llyncu hi fatha pilsan. Ti'n crio. Ti'n peidio â chrio. Ti'n hwfro nes bron â chreu twll yn y carped, nid am ei fod o'n fudr ond am fod gen ti angen lloerig i sgwrio rwbath yn lân. Ti'n chwilio drwy bobman am betha i'w gwneud. Petha i dy flino. Waeth i ti hynny ddim. Dydi o ddim yn brifo dim mwy na phe baet ti'n ista ar dy din hefo dy drwyn mewn bocs

Kleenex. Ti'n bodoli am dy fod ti'n anadlu. Ti'n anadlu oherwydd bod rhaid.

Paid â gwrando ar bobol sy'n deud fod amser yn gwella poen. Rhoi rhyw haenen o rywbeth drosto fo mae o, fatha Sudocrem ar friw. Stopio mwy o faw rhag mynd iddo fo. Dydi'r boen byth yn dy adael di ond mae'n troi'n rhywbeth rwyt ti'n dysgu sut i fyw hefo fo, yn fwy o gricmala nag o sgrech tynnu pendics. O dipyn i beth mae'r dyddiau'n dechra rowlio heibio'n rhwyddach a ti'n deffro un bore ac mae'r dydd yn gywilydd i gyd, yn gysgod ohono'i hun wrth dy atgoffa fod yna flwyddyn wedi mynd heibio ers i ti golli'r un roeddet ti'n ei garu'n fwy na dy enaid dy hun.

Roeddwn i'n grediniol na fyddwn i byth yn gwenu am weddill fy oes ar ôl i ti farw. Rhan fwya o bobol yn meddwl 'run fath, siŵr o fod. Ond gwenu wnei di, sti, ymhen hir a hwyr. Mi weli di lun mewn drôr o bentref glan môr ac mi gofi di ogla heli a gwylan yn dwyn dy jips di a'r fatres lympiog yn yr hen le gwely a brecwast 'na'n gwichian mewn gorfoledd oddi tanoch chi'ch dau. Mi glywi di blentyn yn chwerthin ac mi deimli di'r haul yn dy wallt. Ti'n agor hen ambarél a gwbod bod syrthio mewn cariad fel boddi mewn cawod o haul. Fyddi di ddim yn disgwyl y wên pan ddaw hi, mi barith ryw fymryn o syndod i ti, a rhyw bleser bychan bach fydd o fel cael hyd i bunt ar lawr. Ond mi ddaw, a fyddi di ddim gwaeth ar ei ôl o.

Fel arfer mae pobol yn rhoi dipyn o fisoedd i ti hel dy gefn atat cyn iddyn nhw ddechra estyn gwahoddiadau swil ac awgrymu y dylet ti fynd i'r lle a'r lle i weld y peth a'r peth. Ymhen blwyddyn go lew mi ddechreuan nhw swnian, sôn am hwn a hwn sydd erbyn hyn wedi gorffan hefo hon a hon, trio hudo mwy arnat ti i bartïo a chiniawa pan nad wyt ti ddim isio dim byd amgenach na chau'r llenni'r eiliad mae hi'n tywyllu a newid i dy byjamas. Wedyn mi lenwi di dy botel ddŵr poeth a'i dal yn dynnach nag erioed am fod yr atgofion erbyn hyn yn perthyn i gyfnod lle'r oedd pawb yn fengach a dydi'r dillad yn y llunia sydd gen ti ddim yn gallu newid hefo'r ffasiwn.

Felly'r oedd hi hefo fi. Mi wnes i ddechra gwenu, dechra byta, dechra cysgu rhywfaint gwell ond roeddwn i'n ddiddig yn fy nghapsiwl bach fy hun, yn ein tŷ ni hefo'n petha ni o fy nghwmpas, dy lun di wrth y gwely, yn fy mhwrs, yn fy mag pe bawn i'n mentro allan. Roedd gen i nofel i'w darfod ond doedd hi'n ddim ond dogfen ar ei hanner ar fy nghyfrifiadur ers dros flwyddyn. Mi fedrwn i dy glywed di yn fy mhen i:

'Ty'd yn dy flaen, Cat. Wneith hi mo'i sgwennu'i hun, sti. Agor y laptop 'na tasat ti ddim ond yn teipio dwy linell.'

Roeddet ti'n dda felly bob amser yn fy annog i sgwennu, yn swnian arna i i ddal ati pan oedd paentio drws y garej neu glirio'r sied yn apelio llawer mwy. Mae hi wedi bod yn arferiad gen i erioed i dynnu gorchwylion eraill i 'mhen pan na fydd dim ond dyddiau ar ôl cyn bod rhaid i mi wynebu dedlein. Dydi o ddim yn rhywbeth bwriadol ond y ffordd ora y galla i ddisgrifio'r gohirio 'ma ydi'i fod o, mae'n debyg, yn rhyw fath o banig. Ofn darfod. Ofn yr hyn ddigwyddith pan ddaw'r cyfan i ben fel gwthio cyw bach dros ymyl y nyth. Cefais fwy o reswm byth i beidio sgwennu yn ystod y misoedd dwytha hynny ond gwyddwn hefyd be' fasat ti'n ei ddweud wrtha i:

'Cym on, Catrin. Paid â fy nefnyddio i fel esgus. Sgwenna fel diawl rŵan a gwna fi'n falch ohonot ti.'

Chdi oedd y beirniad pwysica o ddigon. Yr anogwr mawr. Mi fyddet ti'n gwrando arna i'n darllen darnau'n uchel. Gwrandewaist mor astud fel bod dy lygaid di'n culhau wrth ganolbwyntio. Potel win ar ganol y bwrdd. Fflam y gannwyll yn wylo drosti. Weithiau mi fyddet ti'n awgrymu rhywbeth, yn sylwi ar ryw fanylyn nad oedd o ddim cweit yn iawn gen i, fel pa adeg o'r flwyddyn y deuai blodau ar goeden geirios. Roeddet ti'n eistedd yn ôl yn dy gadair wedyn, topio'n gwydrau ni a gwenu dy wên fach gam:

'Lecio hwnna, Cat. Blydi grêt.'

A finna wrth fy modd ei fod o'n dy blesio di. Fy mod i'n dy blesio di. I chdi oedd pob gair. A rŵan nad wyt ti yma dwi'n cael trafferth gweld pwynt i hyn i gyd. Dydw inna fawr gwell na nofel ar ei hanner hebddat ti. Dwi wedi trio, cofia. Wedi galw'r noson honno i gof pan ddywedaist ti wrtha i y deuai adeg pan fyddai'n rhaid i mi ailddechrau byw.

'Ti'n dal yn ifanc, Cat.'

'Dwi dros fy hanner cant.'

Chditha'n gwenu dy wên fach cwyrci wedyn fel pe bawn i newydd gyhoeddi fy mod i'n disgwyl llythyr gan y frenhines. Roedden ni'n gorwedd yno, rudd wrth rudd. Roedd hi'n noson drymaidd, glòs, yn rhy boeth i aros ym mreichiau'n gilydd go iawn ond rhywsut, yr eiliad honno roedd dal ein gilydd yn dynn yn bwysicach nag anadlu. Fel y gwnaethon ni'r noson honno dro byd yn ôl yn nhywyllwch y traeth. Yr unig wahaniaeth rŵan oedd ein bod ni'n eitha sicr i ba gyfeiriad roedd y llanw'n dod.

'Mi ddaw yna rywun arall,' meddet ti. 'Ac mi deimli di fel hyn amdano fynta rhyw ddiwrnod.'

Mi frifodd hynny, sti. Y ffaith dy fod ti'n credu y gallwn i dy anghofio di mor hawdd. Mi dynnais i oddi wrthat ti wedyn, wedi gwylltio, yn tagu ar fy nagrau fy hun.

'Chdi fydd yr ola i mi. Dydw i byth, byth isio cysgu hefo neb ar dy ôl di.'

'Ma' byth yn amser hir, Cat.'

Ydi, Ows. Mae o. Ac mae carreg fedd yn oer fel emyn pan wyt ti'n trio'i chofleidio hi. Ond tria ddallt. Ddaw yna neb byth i dy sgidia di. Ydi hynny'n beth mor uffernol o wirion i'w ddweud? Pam na cha i lonydd hefo fy atgofion? Pam na cha i eistedd gyda'r nos yn fy mhyjamas tedi bêr yn fy nghynnal fy hun ar yr hyn a gawson ni am ei fod o'n hudolus ac yn sbesial ac yn unigryw? Pam na cha i ddweud nad ydw i ddim isio hynny hefo neb arall eto o achos na fedrai o byth fod yr un fath? Pam na cha i godi 'nhraed ar y soffa hefo fy siocled poeth heb i rywun fod yn tecstio neu'n ffonio neu'n swnian i mi fynd draw?

'Paid â bod ar dy ben dy hun.'

A dwinna isio gweiddi: Cerwch o'ma. Gadewch lonydd i mi. Dwi'n lecio bod ar fy mhen fy hun achos dyna pryd rwyt ti'n dod ata i. Ond fiw i mi wneud hynny oherwydd mai ffrindiau ydyn nhw. Fy ffrindiau i. Ein ffrindiau ni. Y cyfan maen nhw'n ei wneud ydi trio edrych ar f'ôl i. Isio i mi fod yn hapus maen nhw, yn union fel basat titha, dwi'n gwbod. Ond be' am yr hyn mae arna i ei isio? Mae pawb arall fel pe baen nhw'n credu eu bod nhw'n gwbod yn well. Ac mae'r hen eiriau 'na'n britho'u sgwrs nhw eto ymhen hir a hwyr, yr hen ymadrodd parod hwnnw a'i flas o'n ludiog fel pryd meicrowêf: rhaid i ti drio symud ymlaen.

Symud ymlaen. Yn ôl pob sôn mae yna sawl un yn ei wneud o. Mae o'n gwneud i mi feddwl am ryw hen wylan fôr yn symud ymlaen o un papur sglodion i'r llall. Yn farus fatha honno ddoth ar ôl ein tsips ni ers talwm. Neu mi fydda i'n meddwl am feirniad mewn sioe wartheg yn symud ymlaen o un fuwch ddu i'r llall. Ac am bobol yn heidio at y tsiecowt yn Tesco: symudwch ymlaen; fama ma'r ciw!

Ocê, ocê, medda fi rhyw ddiwrnod. Tasa hynny ddim ond i gau cega pobol. Yn enwedig Luned Wyn. Ti'n gwbod faint o boen mae hi'n medru bod unwaith mae hi'n cael syniad yn ei phen. Fel ci hefo blydi asgwrn. Mi fynnodd fy mod i'n mynd draw am swper ati hi a Tegid i ddathlu'i ben blwydd o. Roedd Teg newydd dderbyn cesiad o'r Merlot Awstralaidd drud 'ma o'r clwb gwinoedd roedd o'n perthyn iddo ac yn sâl isio gwbod be' faswn i'n feddwl ohono fo. Neu felly'r oedd o'n cymryd arno.

'Fasat ti ddim yn gwrthod dod tasa Ows hefo chdi, na fasat? A fo fasa'r cynta i dy annog di i ddod draw i rannu pryd hefo ni.'

Fedrwn i ddim gwadu hynny na chael hyd i unrhyw esgus i beidio mynd. Roedd Teg a Lun wedi'u clywed nhw i gyd a phe bawn i wedi eu snybio nhw'r tro hwn mi fyddai'n beryg iddyn nhw fod wedi colli mynadd hefo fi am byth. Mae'n debyg y dylwn i fod wedi dechra panicio pan sylwais i fod Lun wedi gosod y bwrdd ar gyfer pedwar ohonon ni. Ond pan glywais i Teg yn dweud y byddai Mel ychydig bach yn hwyr a Lun yn ychwanegu wedyn y byddwn i'n sicr o ddod ymlaen hefo'r Mel 'ma a chymaint gynnon ni'n gyffredin, mentrais ymlacio ychydig. Wn i ddim be' wnaeth i mi gymryd yn ganiataol mai talfyriad o Melangell oedd Mel. Neu hyd yn oed Melissa. Ond roeddwn i'n bendant wedi fy argyhoeddi fy hun mai merch fyddai hi. Dychmyga fy siom felly pan gyrhaeddodd Melfyn. Anwybyddodd Lun yr olwg bwdlyd a oedd yn amlwg ar fy wyneb i a stwffio ail wydraid o'r Merlot i fy llaw. Ffrind Tegid oedd o. Newydd gael ysgariad. Roedd ganddo siaced ddrud a chleisiau-diffyg-cwsg o dan ei lygaid. Cefais gyfle i siarad efo Lun yn y gegin tra bod Teg yn telynegu dros ei win newydd.

'Wyddwn i ddim eich bod chi'ch dau'n gallu bod mor dan din. Faswn i ddim wedi cytuno i ddod pe bawn i'n amau rwbath fel hyn.'

'Iesu, Catrin, ymlacia, wnei di? Ma'r boi'n iawn. Clên. Dipyn o laff a dweud y gwir. Mi leci di o.'

'Dwi'm isio'i lecio fo.'

'Ista gyferbyn â fo wrth y bwrdd bwyd fyddi di, nid ei briodi o.'

Ac yn yr eiliad honno gwrthododd Lun fy molicodlo fel y bu hi'n ei wneud yr holl fisoedd hynny a sodro'r bowlen salad yn fy nwylo.

'Jyst dos â hwnna at y bwrdd, wnei di?' meddai fel pe na bai dim byd o gwbl yn bod.

Rhoddodd hynny dipyn o sgytwad i mi. Sylwedd-olais nad oedd gen i fawr o ddewis ond gwneud y gorau ohoni. Wedi'r cwbl, dim ond awran neu ddwy oedd o, yn de? Diolchais fy mod i wedi bwcio tacsi i fy nôl yn reit gynnar. Teflais gipolwg ar y cloc a dechrau cyfri'r munudau. Erbyn hyn roedd y gwin coch cynnes wedi rhoi digon o hyder i mi fentro cychwyn sgwrs. Estynnais fy llaw i gyfeiriad ffrind Tegid.

'Roeddwn i'n meddwl mai enw hogan oedd Mel,' medda fi a difaru. Roedd o'n swnio'n rhy debyg i fflyrtio.

'Ddrwg gen i orfod dy siomi di,' meddai. 'Taswn i'n gwbod hynny mi faswn i wedi gwisgo ffrog.'

Roedd hi'n jôc mor dila ac eto mor debyg i rwbath y basat ti wedi'i ddweud. Gwenais heb deimlo am unwaith fod hynny'n ymdrech. Penderfynais nad oedd bod yn sych hefo Mel ddim yn mynd i helpu dim arna i na neb arall. Nid pwdu oedd yr ateb. Roedd hi'n bur amlwg mai trwy dwyll y cafodd yntau'i hudo yma. Daethon ni'n dau i ddealltwriaeth ynglŷn â hynny'n gynnar iawn yn y sgwrs ac roedd o'n rhyddhad, rhywsut. Yn tynnu'r pwysau oddi arnon ni. Ac mewn ffordd yn ein tynnu ni'n nes, er na wnaethon ni sylweddoli hynny ar y pryd. Roedden ni'n rhannu rhyw ddarganfyddiad cyfrinachol a wnâi i ni deimlo mai ar Lun a Teg roedd y jôc ac nid arnon ni.

Sylweddolais gyda pheth syndod fod yr amser wedi hedfan pan gyrhaeddodd y tacsi i fy nôl. Bu'n ddifyrrach noson nag roeddwn i wedi'i ddisgwyl ac eto roeddwn i'n gyndyn o gyfadda, hyd yn oed wrtha i fy hun, fy mod i wedi mwynhau. Pan gysylltodd Mel ymhen tridiau wedyn a fy ngwahodd i allan, diolchais mai tecstio wnaeth o. Mwy o amser i mi feddwl dros y peth. Roeddwn i wedi llwyddo i fy synnu i fy hun fy mod i hyd yn oed yn mynd i ystyried y peth yn hytrach na dweud 'na' ar ei ben fel y gwnes sawl tro yn y gorffennol. Roedd yna rywbeth yn dechra newid, Ows, ac roedd gen i ofn cydnabod be' oedd o. Mi ges i hwyl hefo Mel ac roeddwn i wedi anghofio faint o bleser oedd i'w gael yng nghwmni dyn. Nid fy mod i wedi'i ffansïo fo. Nid yn syth. Ond mae'r sgwrs yn wahanol hefo dyn. Mae'r mŵd yn wahanol. Y tynnu coes a'r mwydro. Efallai fy mod i'n mwynhau cwmni Mel oherwydd fod hynny'n fy atgoffa i rhyw fymryn bach, bach o fod yn dy gwmni di.

Es i allan hefo Mel. Y tro cynta hwnnw mi gafon ni ddrinc a laff ac mi roddodd sws fach sydyn ar fy moch wrth fy ngollwng i o flaen y tŷ. Yr eildro mi aethon ni am fwyd ac mi brynodd siocledi i mi. Pan gerddon ni wedyn ar hyd y pier mi roddodd ei fraich amdana i am fod yr awel yn fain. Sylweddolais fy mod i angen ei gyffyrddiad o, angen cael fy nghusanu ganddo. Ac am yr eiliadau hynny, doeddet ti ddim yn fy mhen i, Ows. Doedd yna ddim byd ond fy angen fy hun. Llanwodd yr awyr â smwclaw sydyn. Wrth i ni gerdded am y car daeth i fwrw go iawn. Mi gyflymon ni'n camau nes trodd y cerdded yn rhedeg trwsgwl a gollyngais fy ngafael ar ei law.

Roedd hi'n oer yn y car. Yn oer ac yn dywyll. Roeddwn i'n falch o'r tywyllwch. Gwnaeth hwnnw'r distawrwydd rhyngom yn haws i'w oddef am nad oedd ein hwynebau ni'n ddim ond cysgodion.

'Mi gerdda i o fama,' medda fi unwaith y cyrhaeddon ni ben y lôn.

'Mi wlychi di at dy groen.'

'Dydi o'n ddim ond dau gam.'

'Wel, cymra fenthyg ambarél gen i, o leia.'

Rhedodd i'w hestyn o fŵt y car a'i chodi dros fy mhen. Roedd hi'n anferth ac yn cuddio cymaint ar bopeth fel na sylwais arno'n dreifio i ffwrdd. Pabell o ambarél. Roedd hi'n drom, a gormod o le oddi tani. Gallwn gerdded yn rhwyddach pe bawn i'n ei chau. Felly dyna be' wnes i. Ei chlymu at ei gilydd a'i chario dan fy mraich a gadael i'r glaw olchi fy ngruddiau'n lân.

Gwely Plu

Gorweddai Dai Rinder yn hir yn y bath bob bore yn syllu ar y patrwm pilipala yn y ffenest. Roedd gorwedd mewn bath yn rhywbeth eitha merchetaidd i'w wneud; byddai cymryd cawod sydyn, egnïol yn arbed amser iddo cyn mynd i'w waith ac yn ffordd lawer mwy gwrywaidd a di-lol o ymolchi. Nid bod pethau felly'n poeni rhyw lawer ar Dai. Yn un peth, roedd o'n fòs arno'i hun – wel, yn bartner yn y busnes – felly doedd neb yn mynd i'w ddwrdio pe byddai'n hwyr yn cyrraedd y siop, ac yn ail, roedd o'n gwybod erbyn hyn sut i werthfawrogi'r pethau gorau mewn bywyd. Mwynhâi dreulio amser yn yr ystafell hon. Roedd hi'n ystafell molchi braf. Na, roedd hi'n fwy na braf. Roedd hi'n foethus, yn gelfyddyd o deils du a gwyn a marmor llwyd. Wrth i ogla'r bybls Molton Brown godi i'w ben fel cyffur o ansawdd da gwyddai fod ganddo ddeng munud eto i ymlacio, a fyddai Glynwen, ei wraig, ddim yn debyg o fod yn dyrnu'r drws a gweiddi arno i frysio chwaith; roedd ganddi hi ei hystafell molchi *en suite* ei hun.

Doedd bywyd ddim wastad wedi bod fel hyn i Dai. Cafodd fagwraeth ddigon cyffredin ond hynod barchus. Gwraig tŷ yn ystyr hen ffasiwn a thraddodiadol y gair oedd ei fam, adra bob amser hefo dillad yn sychu o flaen tân agored ac ogla coginio lond y lle. Gweithiai'i dad yn swyddfa'r dreth ac roedd o'n flaenor yn y capel. Doedd o ddim yn caniatáu rhegi na dillad denim a choman-jacs yn ei dyb o oedd pawb a feiddiai gnoi gwm. Er ei gulni roedd o'n dad addfwyn. Chlywodd o erioed mohono'n codi'i lais. Serch hynny, teimlai Dai bob amser fod angen iddo ymddwyn ar ei orau o'i flaen fel pe bai o yng nghwmni dieithryn.

Dafydd oedd Dai i'w dad, ond David i'w fam. Roedd o'n agosach at ei fam ond yn agosach fyth at ei nain. Deio bach oedd o ganddi hi ac roedd yr adegau hynny pan gawsai fynd i aros yn nhŷ ei nain gyda dyddiau hapusaf ei blentyndod. Cysgai hefo'i nain yn yr hen wely plu. Roedd ei gynhesrwydd yn mowldio'i hun o'i gwmpas ac roedd hynny, a phwyso'n erbyn meddalwch rhywun y gwyddai'i bod hi'n ei garu'n fwy na neb arall yn y byd, yn gwneud iddo deimlo'n saff. Byddai ôl eu cyrff yn y fatres erbyn y bore ac roedd yn rhaid ysgwyd y ticin i gael y plu'n ôl i'w lle, Nain yn gafael yn un pen ac yntau yn y llall. Ambell waith byddai pluen fach wen yn dianc – fyddai o byth yn gallu gweld o ble – ac yn nofio rhyngddyn nhw fel cyfrinach.

Dyddiau tŷ Nain oedd wedi creu atgofion Dai i gyd. Roedden nhw'n glòs at ei gilydd, yr atgofion hynny, ac yn cymylu'n feddal yn ei ben yn glustogau bach o gysur: hel mwyar duon mewn piser, gwneud dyn bach o datws a choesau matsys a'i osod yn y ffenest. Y pethau syml nad oedden nhw'n costio dim ond amser. Roedd hi'n deall y tynerwch yn ei natur, y ffaith ei bod hi'n well ganddo osod blodau gwylltion mewn pot jam na sathru drwyddyn nhw hefo pêl-droed. Sylwodd Nain yn fuan iawn fod ganddo lygad am liw a llun. Un diléit oedd gan y bychan oedd chwilio a chwalu drwy hen gypyrddau dillad, a'r rheiny'n hetiau ei nain neu'n siwtiau'i daid, siacedi a gwasgodau o frethyn da a oedd yn dal i hongian yn hen wardrob y llofft gefn flynyddoedd ar ôl ei gladdu. Roedd Dai hyd yn oed yn cael chwarae o gwmpas hefo rhyw hen injan wnïo, yn mesur a thorri a chreu tameidiau o glytwaith taclus ond di-fudd. Pan fyddai wrthi'n chwarae fel hyn dywedai hithau:

'Dwi'n gweld mai teiliwr fyddi di rhyw ddiwrnod.' Ond yna byddai'n ei siarsio bron yn yr un gwynt: 'Ond paid â chymryd arnat pan ei di adra fod dy nain yn gadael i ti chwarae hefo petha genod fel hyn, cofia.'

Yntau'n addo. Yn meddwl am lygaid ei dad. Yn deall y dylai deimlo cywilydd am ei fod o'n mwynhau gweithgareddau genod. Byddai'i dad yn gwylltio drwy ostwng ei lais a byddai siom yn llygaid ei fam. Soniodd o ddim gair am y gwnïo. A soniodd o ddim am y deisen fwyar duon yn gynnes o'r popty â siwgwr am ei phen, nac am Twm Taten chwaith. Fo oedd pia'r byd hwnnw, byd lle gallai orwedd ar wely plu a chwilio am chwedlau yn y cysgodion llwyd rhwng y distiau.

Doedd Dai Rinder ddim yn academaidd, ond roedd ganddo bersonoliaeth fel yr haul a digon o synnwyr cyffredin i weld y gallai gwaith caled fynd â fo lawn cyn belled ag y gallai llond trol o gymwysterau pe bai ganddo ddigon o uchelgais. Hynny ynghyd â rhyw fymryn bach o lwc. Cafodd waith mewn siop groser yn ystod ei wyliau ysgol a phrofi gwirionedd yr hen ymadrodd fod llathen o gownter cystal pob tamaid ag acer o dir. Gadawodd yr ysgol a gweithio'i ffordd i'r top yn yr archfarchnad leol drwy gael ei benodi'n rheolwr yno. Fe'i dyrchafwyd ymhen dwy flynedd yn rheolwr rhanbarthol. Ymhen dwy flynedd wedyn cafodd ddigon o gelc ar ôl ei nain i allu cychwyn ei fusnes ei hun. Neu'n hytrach mynd yn bartnars hefo cyn-reolwr archfarchnad arall a oedd yn rhannu'i weledigaeth. Eidalwr oedd Paolo gyda dawn gwneud arian a llygad am ffasiwn. Pan agorwyd siop ddillad dynion o'r enw Ragazzo yn y stryd fawr leol roedd pobol yn amheus o'r esgidiau lledr hefo'u careiau lliwgar, y siwtiau lliain a'r siacedi gwahanol. Ymhen blwyddyn, er gwaetha'i phrisiau uchel, neu efallai o'u herwydd, roedd y siop wedi gwneud digon o enw iddi hi'i hun i warantu bod y rhan fwyaf o ddynion yr ardal a oedd rhwng deunaw a deugain ac ar gyflog go lew o barchus wedi prynu dilledyn o Ragazzo.

Priodi hefo Glynwen oedd y cam nesa i Dai. Roedd o'n gam naturiol rhywsut. Yn garwriaeth ddiymdrech am na newidiodd dim byd rhyngddyn nhw. Doedd yna ddim pwysau. Hi oedd ei ffrind gorau ers dyddiau ysgol a theimlai Dai'n agosach ati hi nag at neb ers colli'i nain. Roedden nhw'n fêts. A dyna mewn gwirionedd oedd eu problem fwyaf. Darganfu'r ddau'n fuan iawn ar ôl priodi nad oedd bod yn ffrindiau gorau ddim yn ddigon. Doedd y sbarc angenrheidiol ddim yno i beri iddyn nhw ddyheu am fod yn ŵr a gwraig yn y gwely. Oni bai eu bod yn eneidiau hoff cytûn ym mhob ystyr arall fe allai hynny fod wedi achosi problem. Ond roedden nhw'n caru'i gilydd fel ffrindiau â'u holl galonnau. Roedden nhw'n cyd-fyw'n hynod o ddedwydd ac yn rhannu popeth. Heblaw gwely. Er nad oedd eu cartref yn fawr, roedd ynddo ddwy ystafell wely eang a moethus a phenderfynasant gymryd un bob un. I beth oedd angen gwneud sôn amdanynt eu hunain wrth fynd drwy ysgariad? Byddai hynny wedi lladd tad Dai beth bynnag. Syniad Glynwen oedd eu bod nhw'n aros hefo'i gilydd ac yn cysgu ar wahân, ac ar y pryd swniai'n gynnig rhesymegol iawn. Roedden nhw'n hoff o'i gilydd ac yn hoff iawn o'u tŷ, yn glust i'r naill a'r llall ac yn yfed yr un gwin.

'Pwy fydd yn dod i wybod, p'run bynnag?' meddai Glynwen. 'Ein busnes ni ydi'n trefniadau cysgu ni. Mi ydan ni'n tynnu ymlaen hefo'n gilydd yn well nag y basen ni'n ei wneud hefo neb arall ac mi rydan ni'n hapus. Yn ŵr a gwraig yng ngolwg y byd. Ein cyfrinach ni fydd hi. Be' wyt ti'n ei ddweud?'

'Ond beth am y peth arall?'

'Gwranda, Dai. Rydan ni'n ffrindiau gorau. Ond mistêc oedd priodi. Dwyt ti ddim yn fy ffansïo i ddim mymryn mwy nag ydw i'n dy ffansïo di. Ond does dim rhaid i ni wahanu. Mi fasa gen i ormod o hiraeth ar d'ôl di beth bynnag.' Cymerodd lymaid bach slei o'i gwin cyn ychwanegu: 'Dwi wastad wedi amau dy fod ti'n hoyw, wyddost ti.'

Er mor agos y teimlai tuag at ei wraig-mewn-enw, cychwynnodd gwrid sydyn o gwmpas ei lwnc a chodi'n ffyrnig nes boddi'i wyneb i gyd. Roedd hi fel pe bai hi newydd gipio tywel oddi am ei ganol a'i adael yn noeth.

'Pam wyt ti'n dweud hynny?'

'O, tyrd yn dy flaen, Dai. Hefo fi rwyt ti wedi trio cael rhyw, cofio?'

Oedd, roedd o'n cofio. A byddai'n well o lawer ganddo gael anghofio.

'Doedd y sbarc ddim yna, nag oedd? I'r un o'r ddau ohonon ni.'

'Wel, mae gen i syniad go dda pwy ydi'r un sy'n cynnau'r tân yn dy fol di. Ac ym mhob man arall hefyd, siŵr o fod.'

'Am be' ti'n rwdlian?'

'Dwi wedi gweld y ffordd rwyt ti'n edrych ar Paolo yn y siop,' meddai Glynwen yn llyfn, 'ac wedi sylwi sut mae yntau'n dy lygadu di.'

'Be' wyt ti'n trio'i ddweud, Glyn?' Er ei fod o wedi amau.

'Dweud ydw i, Dai, nad oes yna ddim rheswm pam na fedrwn ni gael rhyw. Y gwahaniaeth ydi na fyddwn ni ddim yn ei gael o hefo'n gilydd.'

A dyna sut cafodd Dai sêl bendith ei wraig ar ei berthynas gudd hefo Paolo. Wnaeth yntau ddim gwarafun i Glynwen gael ei hwyl chwaith. Chwarae teg iddi, mi fu hi'n ofalus iawn yn ei dewis o gariadon ac, fel pob merch a gawsai fagwraeth dda, yn hynod o ddisgrît. Roedd hi'n dal a main a thywyll ei phryd a chanddi'r gallu i wneud iddi hi'i hun edrych yn drawiadol iawn pan ddymunai. Gwyddai Dai'n iawn pa nosweithiau y byddai hi'n mynd i gyfarfod rhyw gariad neu'i gilydd. Roedd hi'n gwneud mwy o ymdrech nag arfer a'i pher
sawr yn drymach ac yn perthyn i'r nos. Ni theimlai yntau ronyn o genfigen wrth ei gweld yn gadael y tŷ. Ond doedd o ddim isio gwybod unrhyw fanylion chwaith. Dyma'r un rhan o

fywyd ei wraig yr oedd o'n dewis ei hanwybyddu. A phan ddychwelai doedd o byth yn holi dim. Dyma un gwahaniaeth rhyngddo fo a Glynwen. Arferai hi fod yn ddigon busneslyd a'i holi'n dwll yn aml ynglŷn â'i berthynas hefo Paolo. Ond fel'na oedd merched, tybiodd Dai, a ph'run bynnag, roedd o'n fwy na pharod i drafod ei gariad hefo Glynwen. Wedi'r cyfan, hi oedd yr unig un y gallai ymddiried ynddi.

Gweithiodd y trefniant hwn yn bur dda dros y blynyddoedd ond roedd un gwahaniaeth amlwg ym mywydau carwriaethol y naill a'r llall: cafodd Glynwen nifer o gariadon nad oedden nhw'n golygu dim ond roedd Dai mewn cariad llwyr hefo Paolo. Gwahaniaeth oedd o, fodd bynnag, ac nid problem. Tan y diwrnod yr enillodd Donald Trump yr etholiad am arlywyddiaeth America. Y diwrnod y symudodd rhieni Dai i fyw atyn nhw dros dro.

Cofiodd ddau ddychryn gwahanol yn ymosod ar ei ymennydd ar yr un pryd: gweld y bwletin boreol yn fflachio ar draws sgrin fach teledu'r gegin am lwyddiant Trump, a chlywed llais ei dad yn anarferol o uchel dros y ffôn yn sôn am beipiau'n byrstio a llifogydd yn y tŷ.

'Ond does gynnon ni'm lle i'w rhoi nhw,' meddai Glynwen pan dorrodd o'r newydd.

'Wel, maen nhw'n meddwl fod gynnon ni ystafell sbâr.'

'Ond does gynnon ni ddim, nag oes, Dai, a ninnau'n defnyddio'r ddwy.'

'Mi fydd yn rhaid i ni rannu dros dro, dyna i gyd.'

Fo oedd yn gorfod cyfaddawdu. Ildio'i stafell a symud at Glynwen. Doedd ei ddillad o ddim yn edrych yn iawn ar y gadair fenywaidd. Roedd yr ogla sebon sent yn gwneud iddo fo fod isio tisian ac roedd yna ormod o agosrwydd mewn rhannu *en suite*.

'Am faint fyddan nhw'n aros?'

Roedden nhw'n gorwedd ar eu cefnau yn y tywyllwch a'r gwely brenin yn teimlo'n od o fychan er nad oedden nhw'n cyffwrdd. Hon oedd Glynwen, ei wraig, y ferch a oedd yn cyd-fyw hefo fo ers pum mlynedd. Roedden nhw'n rhannu meddyliau, syniadau, cyfrifon banc. Ac roedden nhw i fod i deimlo'n gyfforddus hefo'i gilydd. Pam felly, meddyliodd Dai, ei fod o'n teimlo fel pe bai'n rhannu ystafell hefo dieithryn. Doedd yna ddim chwithdod fel hyn yn y gegin, yr ystafell fyw. Teimlai'r cyfan yn waharddedig, yn rong; teimlai fel brawd yng ngwely'i chwaer.

Fedrai o ddim ateb ei chwestiwn hi. Wyddai o ddim am faint roedden nhw'n bwriadu aros. Doedd o ddim wedi gofyn. Sylwodd ar rywbeth tebyg i anghymeradwyaeth yn wyneb ei dad wrth iddo syllu ar y siandelïar yn y cyntedd a'r canhwyllau sentiog drud ar farmor y bwrdd coffi. Roedd medru fforddio gormod o foethusrwydd yn bechod marwol, debyg iawn. Roedd ei fam yn ymddwyn yn wahanol hefyd a'i nerfusrwydd o fod allan o'i chynefin yn gwneud i Dai feddwl am gwningen wyllt wedi colli'i ffordd a'i chael ei hun mewn border o goed rhosys.

'Dach chi'n iawn, Mam?'

'Siort ora, 'ngwas i.'

Ond roedd hi'n dal i fynnu eistedd ar y soffa fel pe bai hi mewn gwesty, ei dwylo ar ei glin a'i handbag wrth ei thraed. Deuai ei dad i lawr i gael brecwast yn brydlon bob bore mewn coler a thei fel pe bai pob dydd yn ddydd Sul. Doedd Dai ddim yn ei chael hi'n hawdd siarad hefo'i dad ar y gorau, a theimlai y byddai holi pryd roedden nhw'n bwriadu mynd adra yn eu holau'n anghroesawus os nad yn hollol anghwrtais. Felly gadawodd i bethau fod yn y gobaith y deuai haul ar fryn yn y man, ac y byddai yntau'n cael dychwelyd i noddfa'i stafell wely'i hun cyn bo hir iawn. Roedd y straen o gymryd arno'i fod o a Glynwen yn bâr priod cwbl normal yn dechrau dweud arno. Yng nghanol tyndra'r holl gwrteisi 'ma roedd o'n cael ei orfodi i fyw hefo fo, meddyliai fwyfwy am Paolo. Edrychodd ar ei dad ar draws y bwrdd bwyd ryw noson yn tynnu llysieuyn a oedd yn ddiarth iddo o ganol ei fwyd a'i osod ar ochr ei blât. Yn yr eiliad honno fe'i gwelodd yn sydyn am yr hyn ydoedd: hen ddyn bach cul a sych a wrthodasai symud hefo'r oes. Dechreuodd feddwl mewn difri sut fywyd roedd ei fam wedi'i gael hefo fo mewn gwirionedd, yn rhygnu ymlaen yn y tŷ 'na heb na ffôn symudol na theledu lloeren na hyd yn oed peiriant sychu dillad. Doedd ei dad erioed wedi'i hannog i ddysgu dreifio. Na, roedd o wedi'i pherswadio i beidio trwy danseilio'i hyder yn ei ffordd addfwyn, dan din arferol a'i thwyllo i feddwl ei fod o'n poeni am ei diogelwch yn hytrach na cheisio'i charcharu. Hwn oedd y dyn a oedd wedi gwneud iddo ailfeddwl ynglŷn â chael ysgariad am fod ganddo ofn dwyn gwarth ar ei deulu. Oherwydd gwerthoedd hen ffasiwn a chulni ei dad roedd Dai wedi cytuno â chynllun lloerig Glynwen. Nid ei fam oedd yr unig un a fu'n gaeth i rigol ac i syniadau rhywun arall.

Gorweddai rŵan yn y tywyllwch yn cnoi cil dros hyn i gyd. Roedd ei fywyd o wedi dilyn rhyw drywydd gwallgo, afreal dim ond oherwydd fod arno ofn tarfu ar bobol eraill. Hyd nes iddo gyfarfod Paolo roedd o wedi trio ffitio i fowld roedd pawb arall wedi'i fesur ar ei gyfer. Meddyliodd am ei nain yn ei rybuddio'n dyner i beidio â chrybwyll y peiriant gwnïo wrth neb. Roedd hi wedi deall. Hiraethai am hynny rŵan, am ddyddiau'r gwely plu pan oedd gwres corff rhywun arall, agosrwydd rhywun arall, yn gwneud iddo deimlo'n saff.

Roedd Glynwen wedi gwneud iddo deimlo'n saff ar un adeg. Hi oedd ei gymar o. Hi oedd wedi'i weld o ar ei orau ac ar ei waethaf. A rŵan hyn mi ddylen nhw fod yn cael hyd i'r hiwmor oedd wedi'u cynnal nhw cyhyd. Chwerthin drwy'r chwithdod. Gwneud hwyl am ben y ddrama fach hon roedden nhw'n ei pherfformio'n arbennig ar gyfer ei rieni o. Doedd hi ddim yn hawdd i Glynwen chwaith. Yn sydyn, ddisymwth chwiliodd hithau am ei law yn y tywyllwch a chydio ynddi'n dynn. Roedd hi'n weithred mor annisgwyl ac anghyfarwydd fel y teimlodd Dai ei chyffyrddiad yn llosgi'i groen.

'Camgymeriad oedd o,' meddai hi. 'Syniad gwirion.'

'Fyddan nhw ddim yma'n hir iawn eto, gobeithio. Diwrnod neu ddau arall.'

'Nid am dy rieni di'n aros yma dwi'n sôn.' Hen frawddeg herciog oedd hi, fel esgid yn disgyn dros erchwyn gwely a rowlio.

'Be' 'ta?'

'Ni,' meddai Glynwen. 'Y trefniant 'ma. Dydi o ddim yn gweithio, nac'di?'

'Mi ddaw petha'n ôl i drefn ar ôl i Mam a Dad fynd adra. Cael ein sbês ein hunain eto.' Er nad oedd o'n teimlo'n rhy ffyddiog yn ei eiriau'i hun chwaith. Yn ystod y dyddiau diwethaf roedd yna rywbeth wedi newid, rhywbeth wedi dod i gnoi trwy'u dedwyddwch a gadael ôl fel twll pry yn bupur ar bren.

'Ti'm yn dallt, Dai. Dwi'm isio i betha fynd yn ôl fel roedden nhw.'

Rhoddodd ei galon lam sydyn. Ai braenaru'r tir i sôn am ysgariad oedd hi? Eu rhyddhau nhw o'r diwedd o'r ffars yma? Roedd o'n barod i drafod hynny erbyn hyn. Yn barod i gerdded oddi wrth bopeth. Y tŷ, y trugareddau, y bathrwm du a gwyn. Anghymeradwyaeth ei dad. Ia, hwnnw hefyd. Os oedd y dyddiau hyn wedi dysgu unrhyw beth iddo, wel, peidio â bod ofn ei dad bellach oedd hynny. Nid ei dad oedd yn bwysig. Yr unig un roedd o'n ei garu'n fwy na neb arall yn y byd oedd Paolo. Cofiodd yn ôl at nos Wener yng nghegin Paolo, y coginio ar y cyd, y cusanau, ogla perlysiau'n gymysg â'r gwres o'r popty, Paolo'n cymryd cyrlen o bapur caled oddi ar wddw'r botel win a'i chlymu'n chwerthinog o amgylch bys Dai er mwyn cuddio'r fodrwy briodas a oedd yno eisoes.

Trodd Glynwen ar ei hochr i'w wynebu. Roedd ei hogla hi ar gynfasau'r gwely, ogla powdrog drud. Sylweddolodd Dai ddim tan y munud hwnnw pa mor sicli oedd Chanel No. 5 pan oedd rhywun yn gorfod gorwedd wrth ei ymyl o drwy'r nos.

'Mae hyn wedi bod yn fy lladd i, Dai.'

'Ydi,' medda fo. 'Mae o'n fy lladd inna hefyd.' Roedd hi'n rhyddhad o'r diwedd cael cytuno hefo hi.

'Dy weld di hefo'r Paolo 'na,' meddai Glynwen.

Yn sydyn, cerddodd ias o groen gŵydd drosto ac roedd o'n od o benysgafn er ei fod o'n gorwedd. Dechreuodd y tywyllwch bwyso i lawr arno ac ymbalfalodd am y lamp ar y bwrdd wrth y gwely. Disgynnodd pethau i'r llawr wrth iddo chwilio a chwalu. Roedd popeth yn yr ystafell hon yn ddiarth iddo. Rhyw olau piblyd oedd o yn lluchio gwawl cannwyll wêr dros bopeth. Bron nad oedd hi'n well ganddo'r tywyllwch myglyd wedi'r cyfan. Cododd Glynwen ar ei heistedd yn y gwely. Roedd ei sgwrs yn cymryd tac gwahanol bellach. Er bod ei llais hi'n wastad synhwyrodd dinc ymosodol ynddo o dan y llyfnder. Bu mor sicr o'r hyn roedd hi'n bwriadu'i ddweud nesa. Erbyn hyn doedd o ddim mor siŵr.

'Glynwen?'

'Dwi mor genfigennus,' meddai.

'Be'?'

'Gwbod dy fod ti hefo fo. Hefo Paolo.'

'Ond . . .'

'Ia, wn i. Fy syniad i oedd o. Ond a bod yn onest, doeddwn i ddim yn meddwl y basat ti'n cytuno i'r holl beth. Wel, wnes i ddim meddwl basa fo'n para cyhyd.'

'Dwi'm yn dallt.' Er ei fod o'n dechrau ofni ei fod o. Winciodd y bylb yn y lamp a diffodd gydag ochenaid.

Clywodd Glynwen yn codi o'r gwely a chlecian swits y golau mawr. Boddwyd yr ystafell mewn gormod o olau. Safai hithau'n ddramatig ar ganol y llawr o'i flaen a'i choban sidanaidd yn glynu'n ddidrugaredd wrth linellau'i bol a'i bronnau. Trodd Dai ei wyneb oddi wrthi.

'Diffodd hwnna, wir Dduw. Mae hi fel bod mewn stafell hefo'r Gestapo.'

Gwnaeth hithau ymdrech i lacio rhywfaint ar gyhyrau'i hwyneb a daeth yn ôl i eistedd ar erchwyn y gwely.

'Mi fuon ni'n fyrbwyll, Dai. Y bywydau ar wahân 'ma. Hen lol blentynnaidd. Fedran ni'm cario ymlaen fel hyn am byth.'

'Na fedran.' Ond rhywsut fe deimlai nad oedden nhw'n cytuno am yr un peth. Llithrodd y darlun a gadwai yn ei ben ohono fo a Paolo dros erchwyn ei gof i rywle. Ond arhosodd y gwirionedd yn yr ystafell hefo nhw, yn gras fel y golau trydan melyn. Daeth Glynwen yn nes a llithro'i llaw o dan y cynfasau. Gwingodd yn drwsgwl rhag ei chyffyrddiad fel pe bai o'n ceisio osgoi neidr.

'Be' ti'n neud?'

'Mi fedran ni drio eto.' Ogla'r Chanel. Yn closio. Yn ei fygu. Yn ymosod arno. 'Bod yn agos. Dechrau o'r dechrau. Mae o'n bosib, Dai.'

'Glynwen, dwi'n hoyw.'

'Does dim rhaid i hynny fod yn broblem,' meddai. Roedd hi'n anadlu'n drwm ac roedd rhyw sglein peryglus yn ei llygaid hi.

'Ti'n dechra drysu 'ta be'? Mae'r busnes rhannu gwely 'ma wedi mynd i dy ben di.'

'Ond roeddet ti'n cytuno . . .'

'Oeddwn,' meddai, cymryd saib, ymwroli, 'roeddwn i'n cytuno. Ond i ysgariad. Roeddwn i'n meddwl mai dyna'r oeddet ti'n ei awgrymu.'

Teimlodd y distawrwydd yn trymhau rhyngddyn nhw fel cadach yn llenwi â dŵr. Roedd y golau'n dechrau serio'i lygaid. Llithrodd hithau oddi wrtho, estyn am ei gwnwisg a'i chlymu'n ffyrnig am ei chanol.

'Dwi'n disgwyl,' meddai.

Roedd ei ben o'n llawn niwl.

'Disgwyl am be'?'

'Disgwyl babi, Dai. Dwi'n feichiog.'

Roedd hi fel pe bai wal frics newydd ddisgyn arno. Byddai wedi gofyn iddi pwy oedd y tad ond roedd ei lais o'i hun yn bygwth ei dagu, yn cyrlio fel draenog yng nghefn ei wddw. Darllenodd Glynwen ei feddwl, ateb cyn iddo ofyn.

'Dwi'm yn siŵr iawn pwy pia fo. Mi allai fod yn un o ddau. Nid fod ots am hynny.'

'Pam?'

'Dim ond bioleg y peth ydi hynny. Ni fydd ei rieni iawn o. Neu hi.'

Roedd dwndwr rhyfedd yn ei glustiau, sŵn fel argae'n torri, nes iddo sylweddoli mai curiadau'i galon ei hun a glywai. Wyddai'i ymennydd o ddim sut i brosesu'r hyn a ddywedodd Glynwen. Roedd hi wedi'i gaethiwo fo eto, wedi'i glymu wrthi am yr eildro. Ni allai oddef aros yn yr un ystafell â hi. Cododd, a throi ar ei sawdl.

'Mi fydd dy rieni wrth eu boddau pan ddywedwn ni wrthyn nhw fory, Dai. Yn enwedig dy dad.'

Brathodd ei geiriau ei wegil wrth iddi eu bwrw tuag ato fel cawod o gerrig. Y bitsh. Sut oedd o wedi bod yn gymaint o ffŵl? Ysgariad o ddiawl. Pe bai o'n mynnu hynny rŵan gallai Glynwen hawlio mwy na'i siâr o bopeth, gan gynnwys Ragazzo. Ei adael o a Paolo a'u tinau yn y dŵr. Doedd ganddo ddim dewis.

Fel erioed. Y drwg oedd fod Glynwen yn ei adnabod o'n rhy dda. Yn adnabod ei wendid. Ei addfwynder. Yn gwybod popeth amdano. Felly mae ffrindiau gorau. Eneidiau hoff cytûn. Roedd hi wedi creu mowld ar ei gyfer unwaith eto a byddai yntau'n ffitio iddo, yn ffitio i'r patrwm fel y gwnaeth ar hyd ei oes. Plesio pobol eraill. Dyna oedd yn ei wneud o'n siopwr da. Dyna oedd wedi'i wneud o'n llwyddiannus.

Llusgodd ddwfe o'r cwpwrdd ar dop y landin. Un mawr drud. Roedd meddalwch sawl gŵydd wedi mynd i lenwi hwn. Gwnaeth nyth iddo'i hun ar y soffa a gadael i'r tywyllwch ei lapio'i hun amdano. Roedd hi'n haws anadlu rŵan, yma, heb neb. Er nad oedd chwedlau rhwng y cysgodion bellach, roedd y dwfe a'i gysur parod yn rhyfeddol o debyg i wely plu.

Elen Fwyn

'With every mistake we must surely be learning,
Still my guitar gently weeps.'
George Harrison

Mae yna hud mewn hen gitâr, rhyw grac yn ei llais na fedar dim byd ond y blynyddoedd ei greu. Chewch chi byth wared ar y crygni hwnnw ni waeth faint o dannau newydd rowch chi arni. Mi fydd o yna wedyn am byth, yn denu fel galar cantores y blŵs mewn bar tywyll ac yn felys fel rhyw. Mae hen gitâr fel merch sydd wedi byw. Mae ôl angerdd y bysedd sydd wedi'i hanwesu, a'r ewinedd sydd wedi'i chrafu, yn wyn ar hyd ei gwddw a'i bol fel creithiau hen frwydrau. Dyna yw ei swyn. Y tyllau a'r sgriffiadau. Dyna sy'n profi i'r byd ei bod hi wedi cael ei charu i'r eithaf gan un sy'n ei haddoli.

Ambell waith mi fydda i'n estyn y gitâr i drio tynnu tiwn ohoni. Mae hi'n ufudd yn fy nwylo ond fedra i ddim gwneud iddi deimlo i'r byw fel y gwnaeth o. Dwi'n ei chofio hi'n newydd a sglein y siop arni. Cofio'i hedmygu. Lliw fel mesen wedi cael polish.

'Mi edrychith yn well wedi cael dipyn o dolciau

ynddi,' medda fo a finna'n anwesu'i newydd-deb hi, yn methu'n glir â dallt pam fyddai o'n dweud y ffasiwn beth.

Dwi'n dallt erbyn hyn. Dros y blynyddoedd, a'r teithio a'r gigio, gwisgodd y polish a throi'n llyfnder gwahanol, yn rhywbeth mwy naturiol a chyntefig ac arhosol, fel llyfnder carreg mewn afon. Ac ar wyneb y llyfnder hwnnw daeth y crafiadau, y tolciau, ambell lofnod, hyd yn oed cylch crwn lle gosododd rhywun ei wydr peint. Gwisgodd ôl y gwydryn ymhen amser fel nad oedd o bellach yn ddim byd ond cysgod. Serch hynny, mae o yno o hyd fel ôl hen hanes ar graig a'i siâp o'n berffeithiach na'r lleuad.

'Tyrd hefo fi i'w nôl hi,' medda fo ac roedd yna gyffro hogyn bach yn ei lais.

Dyna sut y des i'n rhan o hanes y gitâr honno a sut y daeth Jac yn rhan annatod o fy mywyd innau. Roedden ni ar ein ffordd adra yn y fan ddrafftiog honno oedd ganddo, a dyma fo'n dweud yn ddirybudd gan sefyll yn sydyn ar ei frêcs ar y tro wrth Dyrpeg Glanrafon er mwyn gwneud lle i lorri wartheg dynnu heibio:

'Mae'n rhaid i'r gitâr 'ma gael enw. Fatha gitâr Willie Nelson.'

'A be' ydi enw honno felly?'

'Trigger,' meddai Jac, ac oherwydd y direidi yn ei lais doeddwn i ddim yn siŵr p'run a oedd o'n tynnu coes ai peidio. Roedd o felly ynglŷn â'r rhan fwyaf o bethau, defnyddio hiwmor rhag gorfod ei glymu'i hun i unrhyw beth a ddywedai.

'Swnio'n debycach i enw ceffyl cowboi,' medda finna.

'Cheith hon ddim enw ceffyl. Mi fedra i wneud yn llawer gwell na hynny. Dwi'n mynd i'w galw hi'n Elen ar d'ôl di. Elen Fwyn. Fatha'r gân.'

Yn union fel y byddai'i wefusau o'n creu ias fel sioc drydan wrth iddyn nhw gyffwrdd fy enaid i, felly y cyffyrddodd y geiriau hynny yno' i hefyd. Doedd o'n ddim byd ac eto roedd o'n bopeth. Roedd o'n ein clymu ni. Costiodd y gitâr bron i gyflog mis iddo ond nid dyna oedd yn bwysig i mi. Hyd yn oed pe bai o wedi talu punt amdani mewn siop ail-law mi fyddai ei henwi hi ar fy ôl i wedi golygu'r byd.

Roedd Jac yn rhyw fath o lojar yn ein tŷ ni ers i'w deulu orfod symud i Loegr i ddilyn gwaith ei dad. Bu'i fam yn ffrindiau hefo fy mam innau a daethant yn agos iawn dros y blynyddoedd. Pan ddywedodd Jac nad oedd ganddo fwriad dilyn ei deulu oherwydd ei ymrwymiadau i'r band roedd o'n chwarae hefo nhw, cynigiodd Mam ystafell iddo yn ein cartref ni. Doedd o ddim yn gynnig mor lloerig â hynny chwaith; roedden ni'n byw mewn honglad o dŷ ac roedd Mam wedi ennill ceiniog iddi'i hun ers blynyddoedd yn cadw rhyw fath o le gwely a brecwast. Fyddai ganddi byth fwy na dau o bobol ar unwaith acw, rhyw gwpwl ran amlaf wedi dod i flasu heli pentref glan môr ddiwedd yr ha' ar ôl i'r haflug-bwced-a-rhaw ei throi hi am adra. Pobol mwyar duon roedd Mam yn eu galw nhw am eu bod yn cyrraedd yr un pryd â'r rheiny ac roedden nhwtha hefyd, mae'n amlwg, yn bodloni ar weddillion o haul. Felly roeddwn i a Dad a fy mrawd wedi hen arfer hefo pobol ddiarth yn y tŷ. Roedden nhw'n mynd a dod a chanddyn nhw'u hystafell fyw eu hunain gyda'r nosau. Doedden ni ddim yn gweld rhyw lawer arnyn nhw, dim ond yn clywed traed anghyfarwydd yn trampio dros y landin yn y nos.

Roedd hi'n wahanol acw hefo Jac achos ei fod o hefo ni rownd y ril. Câi ei brydau o gwmpas y bwrdd hefo ni fel un o'r teulu. Yr unig beth oedd yn ei wneud o'n wahanol oedd ei fod o'n cael cynnig y darnau blasusaf o gig o flaen pawb arall, yr wy ecstra, ychydig bach yn ychwaneg o'r grefi.

'Brechdan fach arall, Jacob? Mi dorra i fwy.' A'r gweddill ohonon ni'n gorfod codi i nôl ein bara ein hunain.

Mi fyddai Rhys, fy mrawd, a finna'n gelain yn ei chlywed hi'n mynnu galw Jac wrth ei enw'n llawn. Roedd o'n hŷn na fi o ddwy flynedd, yr un oed â Rhys, ac mae'n debyg fod Mam yn tybio y byddai'n braf i mi gael brawd mawr ychwanegol o gwmpas y lle. Y broblem oedd nad oedd Jac yn teimlo fel pe bai o'n frawd i mi, ac roedd hi'n amlwg o'r ffordd y byddai'i lygaid yn dal fy rhai i nad oedd yntau chwaith yn meddwl amdana innau fel chwaer. Pan ddatblygodd carwriaeth rhyngon ni doedd fy rhieni ddim wedi gwirioni'u pennau'n llwyr am y peth o bell ffordd. Wedi'r cyfan, labrwr dros dro oedd Jac ar gnau mwnci o gyflog ac yn ymarfer hefo band gyda'r nosau. Grwpiau pop roedden nhw'n eu galw nhw bryd hynny. Byddai'n well gan Mam a Dad fy ngweld i'n canlyn hogyn mewn siwt oedd yn gweithio mewn banc na gitarydd hirwallt oedd yn tarmacio lonydd yn ystod y dydd. Ond doedd yna fawr roedden nhw'n gallu'i wneud heblaw cadw llygad ar y trefniadau cysgu acw a'u cysuro'u hunain fod ganddyn nhw'r sicrwydd ein bod ni mewn stafelloedd ar wahân o dan eu to nhw. Ond mae cariad yn gyfrwys ac roedd ieuenctid o'n plaid, a hyd yn oed pe bai yna weiren bigog yn cael ei chodi rhyngon ni mi fasen ni wedi cael hyd i ffordd o fod hefo'n gilydd.

Yr hydref canlynol cychwynnais ar gwrs gradd yn y coleg ym Mangor. Doedd teithio yno bob dydd ddim yn ymarferol bryd hynny. Mae pobol ifanc heddiw'n gyrru'u ceir hefo platiau rhif personol arnyn nhw'r munud maen nhw'n pasio prawf gyrru'n ddwy ar bymtheg oed. Does yna unman yn bell i neb y dyddiau hyn. Ond i mi'r adeg honno roedd symud i fyw i Fangor yn ystod y tymor fel gorfod codi fy mhac a symud i ben draw'r lleuad. Mi faswn wedi torri 'nghalon hefo hiraeth oni bai am y ffaith fod Jac yn dod ata i gyda'r nosau ac yn aros ambell waith. Wn i ddim faint wariodd o ar betrol i'w roi yn y rhacsyn o hen fan honno oedd ganddo a wyddwn i ddim chwaith beth aeth drwy feddyliau fy rhieni pan na ddaeth o adra i gysgu'r holl nosweithiau hynny. Ond mi wn i faint oedd bod hefo Jac yn ei olygu i mi, dau mewn gwely i un a'r fatres lympiog honno fel pe bai hi'n llawn o gerrig glan môr. Doedd dim ots. Ac nid am ein bod ni'n ifanc a byrbwyll ac yn feddw ar fod mewn cariad dwi'n dweud hynny. Mi orweddwn i ar wely hoelion am weddill fy oes, a finnau bellach yn nain yn fy chwedegau, pe bawn i ddim ond yn cael cynnig un noson arall ym mreichiau Jac.

Ymhen ychydig wedyn, symudodd Jac allan o dŷ fy rhieni a dod i Fangor ei hun i rannu lle hefo criw o fyfyrwyr. Haws, meddai. Roedd ganddo waith adeiladu dros dro ym Mangor a golygai hynny y byddai'n nes ata i. Gwnâi popeth synnwyr perffaith ac mae'n debyg, o edrych yn ôl, mai dyna gyfnod hapusaf fy mywyd. Doedd y ffaith fy mod i'n gariad i gitarydd mewn band yn gwneud dim mymryn o ddrwg i fy hygrededd i chwaith ymysg fy ffrindiau coleg, y genod a'r bechgyn yn ogystal. Prynais gôt flewog biws a edrychai fel pe bawn i newydd hela a blingo tedi bêr a thyfu 'ngwallt i fod 'run fath â Jane Asher. Fi oedd brenhines y bŵts gwynion a'r sgertiau cwta. Fi oedd yr un ar ddiwedd pob gìg a oedd yn cael mynd i gefn y llwyfan atyn nhw, fi oedd yn eu helpu i gario'r gêr i'r fan. Ac yn bennaf oll, fi oedd cariad Jac Lawrence, y gitarydd. Y boi hefo'r sgidia cowboi a'r 501s a'r cochni yn plethu drwy'i wallt fel trwy fwng caseg winau pan fyddai'r golau ar y llwyfan yn ei daro. Yr un hefo'r ddawn.

Nid Jac oedd y prif leisydd ond fo oedd yr un ddechreuodd sgwennu caneuon i'r band am ei fod o wedi cael digon ar berfformio cyfars pobol eraill. Fo oedd yr un hefo unawd gitâr ar ganol pob set a oedd yn tawelu'r dorf fel llwch hud. Treuliai'i ddyddiau gwaith yng nghanol llwch brics ac ogla tar a thwrw micsar, ond i fyny fry ar ben llwyfan fo oedd y crëwr swynion hefo'r gitâr oedd yn gallu siarad.

Dydi talent fel oedd gan Jac ddim yn rhywbeth gwylaidd ac anghofiadwy. Dim ond mater o amser oedd hi nes byddai rhywun yn dod heibio ac yn ei ddenu at bethau mwy. Digwyddodd hynny ynghynt na'r disgwyl. Bu wastad yn freuddwyd ganddo gael ei gydnabod fel cyfansoddwr o ddifrif yn perfformio'i waith ei hun. Cafodd y band i gyd eu gwahodd i stiwdio ym Manceinion i recordio cân, ond Jac yn unig a ddaeth yn ôl wedi cael cynnig cytundeb a fyddai'n newid ei fywyd am byth.

'Tyrd hefo fi, El.'

Roedd o ar dân y noson honno. Ar drothwy pethau mawr. Roedd ei waith ar y safle adeiladu wedi dod i ben dridiau ynghynt. Arwydd oedd hyn, medda fo, arwydd i symud ymlaen. Y brêc. Roedd o am ei gwneud hi. Isio i mi fod yno wrth ei ochr. Pefriai hefo rhywbeth a oedd hyd yn oed yn fwy amhrisiadwy na'i ddawn: yr hunanhyder hudolus hwnnw a oedd wedi denu pobol ato erioed ac a oedd yr eiliad honno'n ei wneud o'n anorchfygol. Gresyn nad oedd fy nhad yn gweld pethau yn yr un ffordd.

'Breuddwydiwr ydi o, Elen Mai.' Fy enw'n llawn bob tro roedd o'n flin a hynny'n swnio'n drist o ddoniol er mai chwerthin oedd y peth olaf roeddwn i'n teimlo fel ei wneud y munud hwnnw. 'Rhyw damaid o labrwr hefo gitâr ar ei gefn a dim byd yn ei boced.'

Er cymaint roedd clywed hynny'n brifo, roedd Dad yn gwbl anfwriadol wedi consurio'r darlun mwya rhywiol a rhamantus yn y byd o'r boi roeddwn i'n ei garu. Y cyfan roedd arna i isio'i wneud oedd lluchio popeth i'r gwynt a'i ddilyn o'n droednoeth. Ond wedyn daeth y llith. Pa mor anghyfrifol oedd Jac. Pa mor annibynadwy. Pa mor anniolchgar roeddwn i ar ôl yr aberth roedd o a Mam wedi'i gwneud i fy rhoi i drwy'r coleg. A rŵan fy mod i ar drothwy fy arholiadau terfynol ymhen llai na chwe mis roeddwn i'n bwriadu lluchio'r cyfan yn ôl yn eu hwynebau nhw fel hyn. Ddywedodd Mam ddim byd. Doedd hi byth yn mynd yn groes i'r hyn a ddywedai. Ond yn ddiweddarach y noson honno, daeth i fy stafell i a stwffio rholyn o arian o dan fy ngobennydd. Pres pobol y mwyar duon.

'Dilyn dy galon, El,' meddai, ac roedd ei llygaid hi'n sgleinio. 'Jyst gad i mi wbod pa noson fyddi di'n mynd a mi wna i beidio rhoi'r bar ar ddrws y cefn. Ti'n gwbod faint o dwrw mae o'n ei wneud pan ti'n trio'i agor o. Gwichian dros y tŷ fel mochyn dan giât.'

Llenwais y gwely hefo dagrau mawr distaw wedi i'r drws sibrwd cau ar ei hôl. Pe na bawn i'n caru Jac Lawrence yn fwy na fy mywyd fy hun fyddwn i ddim wedi mynd. Noson rewllyd ym mis Tachwedd oedd hi. Bu'r awyr yn wirion o binc wrth iddi dywyllu, fel merch ysgol yn gwisgo gormod o lipstic. Cyfrais y munudau tra sugnai'r cysgodion bob diferyn o olau dydd a oedd yn weddill. Roedd Mam wedi osgoi fy llygaid i trwy'r nos, cymysgedd o dristwch ac euogrwydd, siŵr o fod. Sylwodd neb arall ar y chwithdod oedd rhyngon ni ac yn syth ar ôl swper sleifiais i'r llofft i bacio fy mag cyn eistedd am hydion ar erchwyn y gwely a 'nghalon i'n curo fel gordd. Pan es i lawr a thrwodd i'r gegin gefn roedd Mam wedi cadw at ei gair ac nid yn unig wedi peidio tynnu'r bar ar draws ond wedi iro'r clo hefyd, jyst rhag ofn. Roedd ei charedigrwydd hi'n binnau mân tu ôl i fy llygaid i. Teimlai'r tywyllwch fel melfed o fy nghwmpas, yn dew a meddal, cyn i mi gamu i'r oerni tu allan. Es i'n araf, araf i lawr y llwybr, fy anadl i fy hun yn cymylu'n fradwrus o flaen fy llygaid. Ofn symud. Ofn sŵn. Camau cerdded-ar-wydr a 'nghalon i'n ddiarth yn fy mrest.

Yn rhyfedd iawn, llwyddodd y siom o weld nad

oedd Jac yno'n barod yn disgwyl amdana i i dawelu rhywfaint ar fy nerfau. Daeth ribidirês o deimladau blin, pwdlyd i ddisodli'r glöynnod yn fy llwnc. Roedd hyn rêl Jac. Fel pe bai'r amser a gadwai'i watsh o'n wahanol i amser pawb arall. Eisteddais ar y fainc gyferbyn â'r ciosg lle'r oedd o wedi addo parcio'r fan a rhewi'n gorn am ddeng munud. Ac yna am ddeng munud arall. Disgwyliais yno am awr a hanner. Fedra i ddim disgrifio'r siom hwnnw. Y colli ffydd. Y sylweddoliad araf nad oedd rhywbeth a fu'n bopeth bellach yn golygu dim. Rhywbeth cyndyn ydi o. Rhywbeth oer, darfodedig fel lwmp o rew'n cymryd ei amser i ddadmer. Roedd fy nhaith yn ôl ar hyd y llwybr at y tŷ mor wahanol i gynnau, nid yn gymaint oherwydd fy siom affwysol nad oedd Jac wedi dod i fy nghyfarfod fel roedd o wedi addo ond oherwydd nad oedd ots gen i gael fy ngweld yn dychwelyd. Doedd dim ots pa mor gyflym y cerddwn, faint o sŵn roedd fy sodlau'n ei wneud ar y cerrig mân, na faint o sgriffiadau a gawn ar flaenau fy sgida. Doedd dim ots am dwrw'r bar ar ddrws y cefn.

Os oedd Mam wedi synnu fy ngweld wrth y bwrdd y bore wedyn chymerodd hi ddim arni. Rhoddais yr arian gwely a brecwast yn ei ôl yn y tun te lle'r arferai gadw'i chynilion ac ni soniwyd dim am y peth wedyn. Gadewais fy nillad am ddyddiau yn eu plygion yn y bag a chyrlio'n belen yn fy ngwely a 'mhen o dan y dillad gan wneud esgus bod y ffliw arna i. Dim ond wrth fy ewyllysio fy hun i gysgu y gallwn i osgoi'r boen. Dechreuais brynu poteli o sieri a'u smyglo i fy ystafell. Darganfyddais fod yfed hwnnw'n gwneud i mi gysgu'n gynt. Fel roedd pob potel yn gwagio fe awn i â hi a'i lluchio'n slei dros ymyl y bont. Os oedd dŵr yn yr afon fe âi hefo'r lli. Fel arall cawn bleser rhyfedd o'i chlywed yn ffrwydro ac yn hidlo rhwng y cerrig islaw. Roedd y sŵn yn boenus o gysurus, yn fy atgoffa o gyflwr fy nghalon fy hun.

Un ffordd o drio dygymod â'r ffaith fod Jac wedi torri'i air ac wedi mynd a fy ngadael oedd gwylltio hefo fo. Aros yn ddig a gwneud fy ngorau i'w gasáu. Roedd hynny'n syndod o anodd i'w wneud a'r canlyniad oedd 'mod i'n fy nghasáu fy hun am fod mor wan. Yr unig beth arall y gallwn ei wneud oedd fy nhaflu fy hun i weddill fy ngwaith coleg, pasio fy arholiadau a chwilio am gysur yn rhywle arall. Ifan Rhyd oedd y cysur hwnnw. Boi iawn. Dibynadwy. Hogyn lleol a oedd yn ffermio tir ei dad. Un da at ei fyw ac yn garedig wrth ei fam. Roedd y cymwysterau ganddo i fod yn ŵr da. Roedd o'n solat. O deulu parchus. Ac yn bwysicach na dim, roedd Ifan Rhyd yn plesio fy nhad. O fewn blwyddyn i ni fod yn canlyn cytunais i'w briodi.

Byddai'n gelwydd i mi ddweud nad oedd gen i ddim meddwl o Ifan. Roedd o'n ofalus ohono' i a doedd gen i ddim gronyn o amheuaeth nad oedd o dros ei ben a'i glustiau mewn cariad hefo fi. Fel arfer mae hynny bron iawn â bod yn ddigon. Teimlad cynnes, saff. Mae sawl un wedi byw'n ddedwydd ar hynny am weddill ei oes. Dechreuais groesawu'r syniad o fywyd priodasol, o gasglu llestri a chelfi ac adeiladu tŷ ar dir tad Ifan. Roedd yna gyffro braf yn yr holl edrych ymlaen ac roedd Mam yn ei helfen yn sbio ar luniau ffrogiau priodas ac yn dychymygu'n ddistaw bach pa enwau fydden ni'n eu rhoi ar ei hwyrion. Roedd pawb yn ofalus iawn i beidio crybwyll dim ynglŷn â Jac ac felly'n union y dymunwn innau i bethau fod. Pe bai'r grachen honno'n cael llonydd, yn enwedig a honno wedi ceulo'n ddel, byddai popeth yn berffaith.

Ac yna daeth y syrcas i'r dre.

Dwi'n dweud syrcas. Yr hyn dwi'n ei olygu ydi rhyw jamborî o sioe Dolig i agor theatr newydd yn y dre gyfagos. Roedd yr arlwy'n cynnwys nifer o enwogion a oedd yn enedigol o'r cyffiniau a'r noson yn darfod gyda pherfformiad gan y canwr-gyfansoddwr Jake Law. Efallai pe na bawn i wedi claddu fy mhen yn y tywod ers i'w holl addewidion droi'n llwch y byddwn i'n ymwybodol fod Jac wedi newid ei enw. Ond gwyddwn dim ond wrth edrych ar yr hysbyseb mai fo oedd o. Y 'Jacob' wedi dad-gymreigio a throi'n 'Jake'. Lawrence wedi'i dalfyrru i 'Law'. Roedd yna dinc afreal, Hollywoodaidd i'r cyfan, y byd 'ma y bûm i bron iawn â chael mynediad iddo. Callia, Elen, nid y fo ydi o. Ond pwy arall allai o fod? Gwrthodais fynd i'r sioe hefo Ifan a chriw o'n ffrindiau. Roeddwn i'n synnu nad oedd neb arall wedi gwneud y cysylltiad rhwng Jac a Jake Law. Ond eto i gyd, pam ddylen nhw? Roedd Ifan a'r lleill yn gylch newydd o ffrindiau ac roedd blynyddoedd wedi mynd heibio. Efallai fy mod i'n anghywir ac mai fy mharanoia i oedd y cyfan ond fedrwn i ddim cymryd y risg.

Roedd ffugio salwch yn gystal ffordd â'r un i osgoi gorfod mynd i'r cyngerdd 'ma ac roeddwn i wedi dod yn hen law ar hynny dros y blynyddoedd. Perswadiais Ifan i beidio â gwastraffu tocyn arall ac i fynd hefo'r lleill. Doedd yna ddim byd mawr yn bod arna i, medda fi, na fyddai Lemsip a photel ddŵr poeth yn ei wella. Gwyddwn hefyd y cawn i'r tŷ i mi fy hun y noson honno. Roeddwn i'n dal i fyw adra hefo fy rhieni cyn i ni briodi. Felly'r oedd pethau bryd hynny. Neb yn byw hefo'i gilydd yn gynta. Rhy barchus. Mistêc. Dyna oedd y perygl. Pobol yn setlo am ail orau am na wydden nhw'n well.

Dos di, Ifan. Mi fydda i'n teimlo'n waeth os nad ei di dim ond o fy achos i. Y geiriau hud. Y peth olaf fyddai'r creadur annwyl hwnnw'i isio fyddai gwneud i mi 'deimlo'n waeth' ar unrhyw gyfrif, yn enwedig ar ei gownt o. Felly cefais lonydd y noson honno o flaen y teledu i beidio gorfod gweld y Jake 'ma, rhag ofn wir mai Jac oedd o go iawn hefo'i enw newydd gwirion. Ni waeth faint y newidiai ar hwnnw, yr un llygaid fyddai ganddo, llygaid oedd yn newid bywydau, a doeddwn i byth isio gorfod syllu i'w cyfeiriad nhw eto tra byddwn i byw.

Fodd bynnag, roeddwn i'n anniddig yn y tŷ. Fedrwn i ddim canolbwyntio ar y teledu ac roedd y gwres canolog newydd yn rhy uchel, yn codi twymyn arna i go iawn nes bod gen i wrid annaturiol yn pigo fy mochau. Roedd hi'n rhy oer i gerdded yn bell, felly mi es i â'r car. Daeth rhyw awydd dreifio arna i er na wyddwn i ddim i ble. Rhyw awydd i deimlo trwyn y car yn llyncu'r lôn o fy mlaen. Dwi'n honni nad oedd gen i'r un syniad lle'r oeddwn i'n mynd. Ond mae'r isymwybod yn beth rhyfedd ac anodd ei ddirnad. Dwi'n trio fy argyhoeddi fy hun mai holl ddiben peidio â mynd ar gyfyl y cyngerdd y noson honno oedd osgoi unrhyw beth, neu unrhyw un, a fyddai'n fy atgoffa o Jac. Ac os mai Jac ei hun oedd y Jake 'ma go iawn, yna roeddwn i wedi gwneud y penderfyniad cywir. Yr hyn na sylweddolais ar y pryd oedd na fyddai dim ots pwy oedd Jake Law os oeddwn i bellach mewn cariad hefo rhywun arall. Ac os nad oeddwn i'n dal i hiraethu am Jac, pam wnes i ddreifio draw i Drwyn y Gaseg ac eistedd ar y fainc lle bydden ni'n arfer cwtsio a dal dwylo a gwylio'r adar yn plymio? Lle byddai Jac yn dod ag Elen Fwyn o'r fan a dechrau goglais alawon ohoni, a'r rheiny'n swnio'n bethau crwydrol, cyntefig fel y tonnau, yn aros 'run fath ond yn newid o hyd. Beth barodd i mi ddreifio draw i'r fan hyn os oeddwn i mewn cariad rŵan hefo Ifan Rhyd? Beth barodd i Jac ddod yno hefyd? Hiraeth? Rhyw chweched synnwyr? Pe bai'r hyn a ddigwyddodd nesaf yn olygfa mewn stori, efallai y byddai'r darllenydd yn mynnu gwthio ffiniau hygrededd rhyw fymryn bach ac yn ei lyncu fel pilsen dim ond er mwyn cael y pleser a'r cyffro o weld dau hen gariad yn cyfarfod unwaith yn rhagor. Ond gan mai bywyd go iawn oedd hwn mae'r gwirionedd yn anos cydio ynddo, a hyd heddiw gallwn fod yn barotach i'w ddiystyru fel rhith neu freuddwyd roedd fy nychymyg wedi'i gonsurio pe na bawn i wedi gorfod byw hefo canlyniad y noson honno am weddill fy oes.

Darllenais yn rhywle fod pobol yn gallu deisyfu cymaint am weld rhywbeth neu rywun nes bod rhyw golled yn dod ar eu hymennydd nhw. Fel hyn mae gwyddonwyr yn esbonio sut mae pobol yn medru honni eu bod nhw wedi gweld ysbrydion. Byddai hyn wedi gallu egluro sut ymddangosodd Jac yn ddisymwth y noson honno fel pe bai wedi glanio o nunlle. Byddwn wedi medru fy argyhoeddi fy hun ymhen amser mai rhith oedd y cyfan. Ond bob tro yr edrychaf ar Alys fy merch a gweld ei thad yn ei llygaid, mae'n amlwg na fedra i ddim cuddio tu ôl i dripiau'r dychymyg a thriciau'r ymennydd. Fedra i ddim gwadu'r gwir anhygoel, dim ond ei dderbyn yn union fel y digwyddodd o.

Nid glanio o nunlle a wnaeth Jac ond cyrraedd mewn car isel, du. Clywais y teiars yn sisial ar hyd y gro mân a gweld llafnau'r goleuadau'n hollti'r tywyllwch cyn i mi sylwi arno'n iawn. Ond gwyddwn cyn edrych mai dyna pwy oedd o. Roedd hi'n rhy gynnar, fodd bynnag. Doedd y cyngerdd ddim drosodd o bell ffordd. Ddylai o ddim bod yma rŵan. Os mai dyna pwy oedd o,wrth gwrs. Os mai Jac oedd Jake. Daeth allan o'r car a sylwais fod ei ysgwyddau wedi lledu, ei wallt o'n fyrrach. Rhewodd yr hiraeth i gyd tu mewn i mi am ennyd ac aros yn llonydd dros bopeth da a deimlwn tuag ato, popeth ar wahân i'r dicter a gododd fel dŵr poeth i dwll fy ngwddw i.

'Pam na ddoist ti ddim, Jac? Y noson honno tu allan i'r ciosg? Pam wnest ti 'ngadael i?' A gwyddwn yn yr eiliad honno wrth i mi yngan y geiriau fy mod i'n ei garu o hyd.

'Ti'n gwbod pam, El.' Fel erioed. Agos. El. *Dwi'n mynd i'w galw hi'n Elen. Ar dy ôl di. Elen Fwyn.*

A na, doeddwn i ddim yn gwybod pam. Pam na ddaeth o. Ochneidiodd y môr a datod ei glymau fel merch yn gollwng ei gwallt.

'Dy dad. Mi ddaeth i fy ngweld i'r bore hwnnw. Egluro'r cyfan.'

'Egluro be'?'

111

'Am dy fam. Ei bod hi'n wael ond na fyddai hi byth yn cyfaddef wrthat ti. Doedd hi ddim isio sefyll yn dy ffordd di, medda fo. Ond roedd hi'n mynd i fod dy angen di. A'r unig ffordd y byddet ti'n aros fyddai pe baet ti'n credu fy mod i wedi mynd a dy adael di.'

Meddyliais am Mam yn iach fel cneuen. Cofiais hefyd am y ffordd od y bu hi'n bihafio yn ystod y diwrnod cyn i mi fynd. Hi oedd yr unig un oedd yn gwybod fy nghynlluniau i. I fod. A oedd fy nhad wedi llwyddo i gael y gwir ganddi wedi'r cyfan? A'r bore wedyn, y bore chwithig hwnnw o amgylch y bwrdd brecwast. Ai dyna pam nad oedd neb yn edrych i fyw llygaid ei gilydd? Gorweddai celwydd fy nhad yn groen dros y cwbl. Bradychiad Mam. Rhain oedd y bobol a oedd agosaf ata i yn y byd. Ac eto roedd y bwlch rhyngon ni'n enfawr fel pe baen ni wedi byw ar blanedau gwahanol erioed. Mi ddylwn i fod wedi teimlo atgasedd, ond doedd yna ddim byd y munud hwnnw heblaw'r tristwch llethol a oedd yn cau fel amdo dros bopeth.

'Mi ddisgwyliais i amdanat ti am bron i ddwyawr, Jac.' Ac roedd y briw mor agored ag erioed, y siom mor newydd a chiaidd â phan gerddais yn fy ôl adra dwy'r cerrig mân y noson honno a'r bag dianc-i-ffwrdd yn trymhau yn fy llaw.

'Fel rwyt ti yma'n disgwyl heno?'

'Sut gwyddet ti mai yma byddwn i?'

'Wyddwn i ddim. Dim ond gwybod mai yma roeddwn i isio bod hefyd.'

Yr hen dynfa. Y cwlwm. A'r tonnau'n rowlio. Yn gorffen brawddegau'i gilydd.

'Y cyngerdd . . .?'

'Canslo. Aeth rhywun yn fy lle. Rhywun lot enwocach na fi. Mi gawson nhw fargen.'

Roedd yna waith blynyddoedd o siarad rhyngon ni ond doedd yna ddim amser i ddim ond yr eiliad yr oedden ni ynddi.

'Be' ydi hyn ynglŷn â newid dy enw 'ta?'

'Yr asiant. Fel'na maen nhw. Ac roedd yna Jack Lawrence arall.'

'Dduw mawr. Dau ohonoch chi.'

'Jack hefo "k" oedd y llall.'

'O, wel,' medda finna. 'Mae hynny'n gwneud synnwyr perffaith. Fydda gen ti ddim gobaith yn erbyn Jack hefo "k".'

Roedd ei wyneb o, ei wefusau, yn gynnes yn erbyn fy ngwddw; ei anadl yn fy ngwallt.

'Dwi wrthi'n gweithio ar gân,' meddai. 'Wnei di wrando arni?'

Fel ers talwm. Fel erioed. Nôl Elen Fwyn oddi ar sedd gefn y car.

'Wn i ddim be' wneith hi i ti heno yn yr oerni 'ma, cofia. Mae hi'n un rynllyd fatha chditha.'

Siaradai amdani o hyd fel pe bai'n rhywbeth byw. Hen leuad anniddig oedd hi'r noson honno, fel llygad tu ôl i sbectol fudr, ond roedd hi'n ddigon. Anwesodd Jac y gitâr heb edrych arni, fel dyn dall, a theimlo'r tyndra yn ei thannau. Profodd gordiau fesul un, ochneidiau ar wahân, eu lluchio i'r tywyllwch a disgwyl iddyn nhw gribo wyneb y dŵr.

'Dyddiau cynnar,' medda fo. 'Ond mi ddaw, El. Mae hi'n ffrwtian yn 'y mhen i o hyd. Does fiw i mi adael llonydd iddi rŵan neu mi ddiflannith am byth.'

Roedden ni fel pe baen ni'n ddeunaw oed eto, dau

gariad yn y tywyllwch a nunlle ganddyn nhw i fynd. Ond nid yr un caru-sedd-gefn llwglyd oedd hwn. Ailddarganfod oedd o, pob synnwyr yn dynn fel tant a'r nos fel siffrwd hosan.

'Dydi hi ddim yn rhy hwyr i ni, Jac.'

Roeddwn i'n barod eto i droi cefn ar bopeth, fy nheulu, Ifan, fy holl fywyd. Yn union fel o'r blaen. Doedd dim ots, medda fi, am fy ngwaith, Ifan, y briodas. Byddai'n garedicach dweud wrtho rŵan. Gallwn hel fy mhac, mynd hefo Jac y noson honno, y munud hwnnw. Roeddwn i'n ifanc eto, byrbwyll, isio byw. Dyna'r effaith a gawsai arna i bob amser. Hefo Jac roedd gwireddu breuddwydion yn rhwyddach nag anadlu. Ond ddywedodd o ddim byd. Gwyddwn ei fod o'n fy ngharu. Gwyddwn fod arno fy isio. Gwyddwn fod y cwlwm yna'n dynnach nag erioed. Ac eto i gyd, ddywedodd o ddim. Fel erioed. Gadael saib. Distawrwydd yn llawn at yr ochrau fel ffisig ar lwy. Doedd ganddo mo'r ateb roeddwn i am iddo'i roi i mi.

'Jac?'

'O, El,' meddai. Geiriau ar brawf fel cordiau gitâr. 'Dwi'n briod rŵan.'

Gwrthodais brosesu'r peth. Wnes i ddim hyd yn oed gadael i'r geiriau fy nghyffwrdd. Pwy bynnag oedd hon doedd hi ddim yn ei garu o cymaint ag yr oeddwn i. Ddim yn ei nabod o. Doedd hi ddim yn cyfri, doedd hi'n neb.

'Mi fedri di'i gadael hi, Jac. Mi fedra inna adael Ifan. Mae gynnon ni ail gyfle . . .'

Gafaelodd yn fy llaw oer, dal ei fys o dan fy ngên ond chusanodd o mohono' i wedyn.

'Wna i mo'i brifo hi,' medda fo.

Tynnais fy llaw'n rhydd a theimlo'r un hen siom yn fy sugno'n sych. Roedd o'n mynd am yr eildro ac yn gadael ôl ei gyffyrddiad arna i, ac am yr eildro clywais fy nghalon yn torri fel addewid.

Dwi ddim yn gwybod a ddylwn i fod yn falch ohono' i fy hun ai peidio am ailafael yn fy mywyd ar ôl y noson honno. Ond weithiau does gan rywun ddim dewis, dim ond cyfri'i fendithion a gwneud y gorau ohoni. Wnes i erioed gyfaddef beth ddigwyddodd y noson honno wrth Ifan. Wrth neb. Ond pan ddywedais i fy mod i'n feichiog roedd o'n hapus i ddod â'r briodas ymlaen. Yn hapus ei fod o'n fy nghael i. A finna, Duw a'm helpo, yn troi ato a gadael iddo fy ngharu i'n dyner a gofalus a finna'n cario plentyn Jac.

Doedd yna ddim tad balchach nag Ifan pan ddaliodd o Alys yn ei freichiau. Does yna ddim y galla i'i wneud na'i ddweud i gyfiawnhau'r twyll hwnnw. Mi fyddwn i'n edrych ar y ddau ohonyn nhw dros y blynyddoedd, ar y ffordd roedd Alys yn addoli'i thad ac yntau hithau, a feiddiwn i ddim cymryd dim cysur o hyfrydwch y berthynas honno am nad oedd gen i'r hawl; dyna oedd fy mhenyd. Chafodd Ifan a fi ddim plentyn arall. Dwi'n diolch hyd heddiw nad aeth o i bendroni am y peth na chwestiynu'r rheswm pam. Mae'n debyg y byddai'r gwir yn ormod i ni i gyd wedyn.

Doeddwn i ddim yn beio Jac am y noson olaf honno. Wrth gwrs nad oeddwn i. Roedd arna innau ei isio yntau gymaint ag erioed. Alys helpodd fi drwy'r gweddill. Ei chario hi, ei geni hi, ei magu hi. Roedd hi'n anodd gwthio Jac dros erchwyn fy nghof a finna'n ei weld o yn y fechan bob dydd. Ac yna un diwrnod daeth cyfweliad ar y radio hefo Jake Law. Rhyw ddiwrnod diddim a digon cyffredin oedd o tan hynny a finna'n gyrru yn fy ôl adra drwy'r traffig boreol wedi danfon Alys i'r ysgol feithrin. Pan glywais lais Jac ar yr awyr bu'n rhaid i mi dynnu'r car i'r ochr i geisio rheoli'r cryndod oedd wedi fy meddiannu. Trafod ei gân newydd o roedden nhw gyda'r addewid y byddai'r record yn cael ei chwarae'n syth ar ôl y sgwrs honno. Gofynnwyd iddo a oedd y ferch roedd o'n canu amdani'n rhywun go iawn. Roedd ei Saesneg o wedi'i ddieithrio tan hynny nes clywais i'r saib cyn iddo ateb, y saib a ddefnyddiai fel arfer er mwyn osgoi'r gwir. Daliais fy anadl wrth i'r sgwrs barhau: *Yes, she was very real. She was the love of my life.* Chwaraewyd y record. *Dwi wrthi'n gweithio ar gân. Wnei di wrando arni?* Sŵn gitâr yn rhythmau'r môr. Ymhen yr wythnos aeth Jake Law i frig y siartiau hefo 'Sweet Ellie May'. Wrandewais inna erioed ar y radio yn y car wedyn.

Mae'n eironig pa mor braf mae bywyd yn gallu bod unwaith mae rhywun yn derbyn y drefn a rhoi'r gorau i gicio dros y tresi. Bodloni ydi'r gamp. Ches i ddim bywyd anhapus. Roedd Ifan yn dad cariadus ac yn ŵr ffyddlon. Mae hynny'n swnio fel rhywbeth oddi ar garreg fedd ond dyna'r geiriau sy'n ei ddisgrifio fo orau. Dyn da. Byddai'n annheg dweud nad oeddwn i'n ei garu. Edrychodd ar fy ôl i a dysgais nad angerdd sy'n talu morgeisi ac nad ydi dynion dibynadwy'n debyg o dorri calonnau pobol. Pan gafodd Alys ei phlant ei hun daeth teulu'n bopeth. Ac onid felly dylai pethau fod pan fo rhywun yn nain?

Doedden ni ddim yn disgwyl i Ifan gael cymaint o law galed hefo'i iechyd. Pan aeth y ffwndro a'r anghofio'n rhywbeth mwy creulon a didrugaredd roedd hi'n mynd yn anos dygymod, a threuliai fwy a mwy o amser mewn cartref gofal. Pan ddechreuodd yntau styrbio mwy wrth feddwl am ddod adra nag am aros yno roedd y cyfan wedi troi'n ffars greulon, a'r demensia'n sgwennu'r sgript o'r dydd hwnnw ymlaen. Collais yr un a fu'n gefn i mi'r holl flynyddoedd, nes i mi sylweddoli un diwrnod fod popeth wedi dechrau troi ben ucha'n isa ers amser maith tra bu'r salwch fel llygoden fawr yn cnoi ymylon ei gof. Afraid dweud, pan gyhoeddwyd marwolaeth y canwr poblogaidd Jake Law ar y newyddion ar y diwrnod cyntaf y gwrthododd Ifan ddod adra o'r cartref, nad oeddwn i'n barod i adael i'r digwyddiad fy nghyffwrdd i. Bu dros ddeugain mlynedd ers pan welais i Jac. Fyddai o byth yn rhan o fy mywyd i eto. Chwithdod ddaeth drosta i'n hytrach na thristwch. Rhyw hiraeth ail-law am rywbeth na fu. A'r adeg honno Ifan adawodd fwlch yn fy mywyd i, nid dieithryn o'r enw Jake Law.

Fedar un person byth lenwi lle i ddau. Roedd y tŷ wedi chwyddo'n fwy heb gynhesrwydd Ifan ynddo, heb friwsion ein byw. Fe'm cefais fy hun yn crwydro stafelloedd nad oeddwn i'n eu defnyddio bellach, sylwi ar eu cynnwys fel pe bawn i yn nhŷ rhywun arall ac yna mynd a chau'r drws ar fy ôl. Cau'r unigrwydd o'r golwg yn rhywle arall rhag gorfod edrych arno. Rhyw fore felly oedd hwnnw pan gyrhaeddodd y llythyr, bore o grwydro'r tŷ'n ddefodol a thynnu llwch lle nad oedd dim ond y cysgodion yn

breuo. Roeddwn i wedi llenwi fy mywyd â defodau fel
rhywun ag ofn drysu'n dechrau drysu go iawn. Un o'r
defodau hynny oedd setlo wrth fwrdd y gegin hefo
panad cyn agor y post. Y llythyr oddi wrth dwrna yng
Nghaer oedd yr unig un roedd arna i ofn ei agor yn
syth. Ond buan y gwelais nad oedd o'n ddim oll i'w
wneud ag unrhyw un o faterion Ifan. Llythyr ydoedd
yn fy hysbysu'n garedig o farwolaeth Jac ac yn fy
ngwahodd i'r swyddfa. Roedd o wedi gadael rhywbeth
i mi yn ei ewyllys. Doedd y llythyr ddim yn manylu ac
o ganlyniad, mynd i Gaer fu raid. Roedd y cyfreithiwr
yn gweithredu yn ôl dymuniad Jac – neu Mr Law
fel y cyfeiriwyd ato droeon yn ystod y sgwrs – a
phwysleisiodd y byddai mewn cysylltiad â mi eto
maes o law. Doedd o ddim yn rhydd i esbonio dim
mwy, meddai, ond hyderai y deuai popeth yn gliriach
yn y man. Doeddwn i ddim i fod i agor y parsel yn y
swyddfa, yn ôl y cymal yn ewyllys Mr Law, ond ei
ddymuniad arbennig oedd i mi fynd â fo adra a'i agor
yn breifat ar fy mhen fy hun. Bocs hirsgwar digon
trwsgwl i'w gario ydoedd ac roedd gen i syniad go lew
erbyn hynny beth a fyddai tu mewn iddo. Ond doedd
gen i ddim syniad y byddai agor y bocs hwnnw a
gweld Elen Fwyn eto ar ôl yr holl flynyddoedd yn
mynd â fy ngwynt i yn y fath fodd.

Rhywun arall o fyd arall oedd y Jake Law y clywais
i am ei farwolaeth ar y newyddion. Ond rŵan wrth i
mi gyffwrdd eto yn yr hen gitâr roeddwn i hefyd yn
cyffwrdd yn Jac, yn rhoi fy mysedd lle bu'i fysedd
yntau'n anwesu'r coedyn llyfn; gorweddai Elen Fwyn
yn ei bocs fel Eira Wen yn ei harch wydr yn disgwyl
i rywun ddod a'i deffro. Llifodd yr hen angen hwnnw

drosta i, nid am Jake Law, ond am Jac Lawrence, yn ifanc a main yn ei 501s a'i wallt yn disgyn dros ei lygaid fel mwng caseg winau yn afradlonedd y golau. Tynnais fy llaw dros y tannau a chwalodd yr hud: doedd y gitâr ddim mewn tiwn. Roedd yna rywbeth tu mewn iddi hefyd, rhywbeth yn wyn yn ei pherfedd fel pe bai darn o bapur wedi disgyn iddi. O edrych yn fanylach gwelais mai amlen oedd hi, nid darn o bapur, a chefais beth trafferth i'w thynnu allan. Un gair oedd wedi ei sgwennu arni: El. Dwy lythyren a barodd i'r holl flynyddoedd chwalu'n llwch. Agorais i mo'r amlen am amser hir, dim ond rhoi fy mhen ar y bwrdd ac wylo.

Roedd darllen geiriau Jac fel agor bedd a rhyddhau ysbryd. Daeth yr holl ofidiau roeddwn wedi eu claddu cyhyd ac ymosod arna i'r un pryd. Fy Aber Henfelen fy hun. Damia chdi, Jac. Roedd pob brawddeg yn agor briw. Gwyddai am Alys. *Fi ydi'i thad hi, El. Does dim angen unrhyw dystiolaeth ar wahân i'r noson honno. Mae cariad fatha hwnnw'n rhywbeth sydd i fod i greu hud.* Doedd o ddim wedi gwneud dim byd ar hyd ei oes ond mynd a fy ngadael i. Ei eiriau o. Ond efallai rŵan, am unwaith, y gallai drio gwneud iawn. *Chdi oedd fy ysbrydoliaeth i, El. Elen Mai Fwyn. Bob tro roeddwn i hefo chdi roedd arna i isio sgwennu cân. Fel y noson ola gawson ni ar draeth Trwyn y Gaseg. Chdi pia'r gân honno. Chdi ydi hi. Ti'n gwbod hynny, yn dwyt? Ti'n gwbod mai chdi ydi Ellie May. Y peth ydi, El, mae hi wedi cael dipyn o adfywiad yn ddiweddar. Maen nhw'n gwneud ffilm, ti'n gweld. Hanes rhyw ferch o'r enw Ellie May ac maen nhw isio 'Sweet Ellie May' yn drac i'r ffilm honno. Wir Dduw i*

ti, El! Dy gân di! Dwi'n trefnu i ti gael yr hawlfraint
a'r breindal ddaw o'r gân. Mi sortith y twrna bob dim.
Doeddwn i ddim isio iddo fo ddeud wrthat ti'n syth,
yli. Syrpréis bach. Lwcus fy mod i mewn sefyllfa i
wneud ewyllys a dweud y gwir. Dwi'm yn arfer bod
mor drefnus fel y gwyddost ti. Ond dyna fo. Dwi'n un
o'r rhai sy'n ddigon anffodus i wbod faint sgin i ar ôl.
Neu ffodus, dibynnu pa ffordd rwyt ti'n sbio arni. O
leia mi ges gyfle i roi trefn ar betha. Ond dwyt ti ddim
angen gwbod y manylion digalon. Jyst joia fo, El.

Roedd o'n newyddion syfrdanol, anhygoel na
fedrwn i mo'i rannu â neb. Fedrwn i byth gyfaddef y
gwir wrth Alys. Sychais fy nagrau. Mynd i guddio'r
bocs yn fy stafell wely cyn i'r genod ddod. Llio a
Gwawr, fy wyresau. Roedd hi'n ben blwydd ar Ifan
heddiw ac roedden nhw'n dod draw hefo fi i edrych
amdano. Disgwyliai'r cerdyn ar y bwrdd yn barod
iddyn nhw'i arwyddo: I'r Taid Gorau yn y Byd.

Roeddwn i'n dal i fod yn y llofft pan gyrhaeddon
nhw, yn fwrlwm o ieuenctid a sŵn clepian drysau:

'Dan ni yma, Nain!'

Dychwelais y llythyr i fol y gitâr, a rhoi'r caead yn
ôl ar Elen Fwyn, ac ar eiriau'r dyn a'n deffrodd ni'n
dwy.